Para el Sr. Jeremy
Evans con un saludo
muy especial desde
El Museo Nacional de
Colombia.

Elvira Cuervo de Jaramillo
Directora

Mayo 2003

MUSEO

ACIONAL

MUSEO NACIONAL DE COLOMBIA

El monumento y sus colecciones

Taller de vacaciones

"Viajeros del tiempo y del espacio", realizado en julio de 1997

MUSEO NACIONAL DE COLOMBIA

El monumento y sus colecciones

MINISTERIO DE CULTURA
MUSEO NACIONAL DE COLOMBIA
ASOCIACIÓN DE AMIGOS DEL MUSEO NACIONAL DE COLOMBIA

Ministerio de Cultura

Ministro
Ramiro Osorio Fonseca

Viceministro
Miguel Durán

Secretaria general
Pilar Ordóñez

MUSEO NACIONAL
DE COLOMBIA

Directora
Elvira Cuervo de Jaramillo

INSTITUTO COLOMBIANO
DE ANTROPOLOGÍA

Directora
María Victoria Uribe

Agradecimientos

Bayer de Colombia, S. A.

Convenio Andrés Bello

Fondo Financiero de Proyectos

de Desarrollo -Fonade-

ISBN 958-96213-1-7

PRIMERA EDICIÓN:
NOVIEMBRE DE 1997

CENTRAL LIBRARY
THE BRITISH MUSEUM
WITHDRAWN

Presentación

UN MUSEO LLEVA TÁCITA UNA FORMA DE LEER LA HISTORIA Y, A SU VEZ, UNA FORMA DE CONTARLA. LA HISTORIA QUE CUENTA EL MUSEO Nacional de Colombia no es una historia estática ni hermética, sino una historia en continua transformación; tampoco es la historia de una nación homogénea, sino la de una nación plural y diversa que se ve reflejada en cada una de las colecciones que el Museo preserva. Por esta razón, el Museo que conocemos en la actualidad promueve la reflexión, el análisis, la crítica sobre nuestra memoria e identidad.

Hoy, después de atravesar años de una intensa labor, el Museo Nacional de Colombia vive uno de los momentos más felices de su historia e inventa, todos los días, formas de responder a las búsquedas de los creadores colombianos que vienen a interrogarlo, y producir en ellos preguntas, cambios. De allí su dinamismo, su perpetuo crecimiento y sus esfuerzos por constituirse en una institución de futuro.

El Ministerio de Cultura obtendrá de esta casa las fuerzas fundamentales para consolidar a todos los museos de Colombia como centros de memoria y creación, como *espacios de cultura,* como *casas para la paz,* que nos den la oportunidad de encontrarnos con la tradición y con todas aquellas cosas que estamos haciendo juntos para construir la patria que soñamos.

Ramiro Osorio Fonseca
MINISTRO DE CULTURA

Introducción

LOS MONUMENTOS HISTÓRICOS DAN CUENTA DE LA GLORIA, LA PERSEVERANCIA Y EL EJEMPLO DE VIDA DE LOS GRANDES HOMBRES Y comunidades que forjaron la construcción de nuestra patria.

El edificio de la antigua Penitenciaría de Cundinamarca, que desde 1948 acogió al Museo Nacional como sede permanente, constituye quizás el segundo lugar en importancia entre los monumentos históricos del país. Este edificio, de singulares características arquitectónicas, que lo hacen único en Colombia y Latinoamérica, alberga la más valiosa colección de testimonios de la historia y el arte, síntesis de la identidad cultural del ser colombiano.

El valor de sus colecciones y la variedad de sus temas se debe al triple carácter que ha tenido esta institución desde sus inicios: la actividad científica, la recopilación histórica y la representatividad artística, que atrae a investigadores de toda la nación y de diversas partes del mundo.

Los programas de investigación y educación del Museo Nacional no sólo se divulgan a través de sus exposiciones permanentes y temporales, sino que son parte fundamental de sus publicaciones, ampliamente difundidas. Muchas de estas han sido posibles gracias al apoyo de la Asociación de Amigos del Museo Nacional de Colombia, entidad que acompaña de forma permanente al Museo en sus objetivos y propósitos.

La voluntad de los últimos gobiernos, en favor de la protección del patrimonio cultural reunido en el Museo Nacional, tiene sus raíces en la Constitución Política de Colombia de 1991, la cual consagró, por vez primera, los deberes y derechos fundamentales de los ciudadanos a la protección y difusión del patrimonio cultural de la nación, así como las obligaciones del Estado relacionadas con su preservación y desarrollo.

Por todas estas razones, los últimos dos gobiernos, el Congreso de la República y ahora, de manera fundamental, el Ministerio de Cultura, han destinado los recursos necesarios para la ampliación del Museo, que se llevará a cabo en las primeras décadas del siglo XXI. Para expresar la trascendencia de este proyecto, no podría haber nada más acertado que el lema con el cual se ha hecho conciencia de su necesidad para el país: «Los colombianos merecemos un gran Museo Nacional».

Elvira Cuervo de Jaramillo
DIRECTORA DEL MUSEO NACIONAL DE COLOMBIA

Breve historia

Nacimiento del Museo Nacional de Colombia

EN DICIEMBRE DE 1821, EL LIBERTADOR SIMÓN BOLÍVAR, PRESIDENTE DE LA REPÚBLICA, ENVIÓ A EUROPA AL VICEPRESIDENTE Francisco Antonio Zea en busca de apoyo económico, científico y reconocimiento internacional para el nuevo Estado llamado Colombia, que comprendía la antigua Capitanía General de Venezuela, el Virreinato de Nueva Granada y la Audiencia de Quito.

El 1° de mayo de 1822, Zea visitó en París al Barón Cuvier para solicitar su ayuda en la contratación de una comisión científica, con el fin de fundar "un establecimiento consagrado al estudio de la naturaleza, al adelanto de la agricultura, las artes y el comercio como fuentes de progreso". Con el mismo propósito entrevistó al Barón Alejandro de Humboldt y a Francisco Arago. De esta manera fueron designados los franceses Jean-Baptiste Boussingault [1802-1887], para crear una división de química; François-Désiré Roulin [1796-1874], para actuar en fisiología y anatomía; Justin-Marie Goudot [siglo XVIII-ca.1849], en zoología; y Jacques Bourdon [siglo XVIII-ca. 1859], como eslabón entre el futuro Museo Nacional y la Academia de Ciencias de París. La dirección del establecimiento recayó sobre el peruano Mariano Eduardo de Rivero [¿1798?-1857]. El gobierno de la naciente república esperaba, mediante la contratación de estos hombres, dar continuidad a la labor científica de la Expedición Botánica, interrumpida por Pablo Morillo en tiempos de la reconquista española.

El 28 de julio de 1823, luego de la llegada a Bogotá de la comisión de científicos, el Congreso expidió la Ley de creación del Museo Nacional, denominado entonces Museo de Historia Natural y Escuela de Minería. Como primera sede se escogió la antigua Casa de la Expedición Botánica, también conocida como Casa de los Secuestros, ubicada al oriente del Observatorio Astronómico.

Tan ilustres antecedentes y propósitos enmarcaron el origen del Museo Nacional, cuya apertura se celebró el 4 de julio de 1824, cuando el entonces Vicepresidente de la República, General Francisco de Paula Santander, declaró oficialmente creado el Museo, en dos salas de la Casa Botánica: una destinada a las colecciones de zoología, mineralogía y botánica, y otra para los objetos de historia, ciencias y arte. Junto al establecimiento se instalaron un laboratorio químico, una sala de dibujo y una litografía. Un aviso de prensa de la época destacaba entre sus colecciones, además de los ejemplares de zoología y de los instrumentos científicos, las muestras minerales procedentes de distintos lugares de Europa y América, algunas piezas de hierro meteórico halladas en el territorio nacional, fragmentos fósiles probablemente de mastodonte y "una momia encontrada cerca de Tunja con su manta bien conservada, y se supone tener más de 400 años".

Instalado en la Casa que albergó la colección de historia natural reunida por el sabio José Celestino Mutis y cuidada por sus discípulos, es de suponer que los primeros cuadros que conformaron la pinacoteca del Museo Nacional fueron los retratos de Carlos Linné –enviado a Mutis por el cónsul Gahn a la muerte del botánico sueco, con la advertencia de que su valor no era pictórico sino documental–, el de Alejandro de Humboldt, y naturalmente los de Mutis –aquél que lo presenta en su biblioteca y la alegoría pintada por Salvador Rizo que hoy se encuentra en la Casa Museo del 20 de Julio–. A finales de 1823, el viajero francés Auguste Le Moyne reseñó en la colección las primeras obras de interés artístico del período colonial.

El 19 de abril de 1825 el general Antonio José de Sucre remitió desde Potosí (Bolivia), con destino al Museo Nacional, cinco banderas españolas de los cuerpos más veteranos vencidos en Ayacucho (Perú) y el estandarte que portaron los hombres de Francisco Pizarro cuando conquistó el Perú en 1533. En su carta, Sucre señalaba que tales trofeos recordarían "un día a los hijos de los libertadores que sus padres, penetrados de los deberes patrios y del sublime amor a la gloria, condujeron en triunfo las armas de Colombia". Este tipo de donaciones demuestran la importancia que desde sus inicios tuvo la nueva institución para los habitantes de la Nueva Granada y señalan que, a sólo un año de su inauguración, el Museo ya ampliaba la orientación de sus colecciones hacia los objetos históricos y artísticos más notables de la época prehispánica, de la Colonia y de la guerra magna, hasta entonces inconclusa.

La Casa Botánica de Bogotá hacia 1953

Refaccionada en 1791 por el arquitecto Esquiaqui para que sirviera de sede a la Real Expedición Botánica del Nuevo Reino de Granada, esta casa alojó al Museo Nacional desde su fundación, en 1823, hasta 1842. Fue demolida en la década de 1950. En la actualidad los terrenos donde se erigía forman parte de los jardines de la Casa de Nariño

Grabado de Adriana Espinosa, 1984

Las primeras sedes

El Museo Nacional de Colombia funcionó durante 123 años –entre 1823 y 1946– en diferentes sedes transitorias, debido a la cambiante situación política y económica del país.

Desde su fundación y hasta 1842 ocupó la antigua Casa Botánica, construida en el siglo XVIII, que había alojado la Escuela creada por el sabio José Celestino Mutis y sus alumnos para desarrollar la gran empresa científica conocida, en América y Europa, como Real Expedición Botánica del Nuevo Reino de Granada. La Casa Botánica, llamada también Casa de los Secuestros, se situaba en la carrera 7, números 173 y 175 (esquina nor-occidental de la primera Calle de la Carrera con la actual calle 8). Esta casa ya no existe: ubicada al oriente del Observatorio Astronómico, en el área que hoy ocupa la plaza de armas de la actual Casa de Nariño, fue demolida en la década de 1950.

Entre 1842 y 1845, el Museo funcionó en una sala del edificio de las Secretarías del Interior y de la Guerra, situado en la esquina de la Calle del Divorcio con la Calle de la Obra Nueva (actual esquina de la calle 10 con carrera 9).

Entre 1845 y 1913, el Museo Nacional se instaló en el primer piso del edificio de Las Aulas –actual Museo de Arte Colonial–, espacio que compartió con la Biblioteca Nacional, que funcionaba en el segundo piso. Allí el entonces Presidente de la República, General Tomás Cipriano de Mosquera, dispuso dividir el Museo en dos secciones principales: Zoología y Gabinete de Mineralogía, y ordenó colocar convenientemente todos los objetos arqueológicos, históricos y artísticos. El edificio de Las Aulas fue construido por el arquitecto jesuita Juan Bautista Coluchini –creador del conjunto del claustro y la iglesia de San Ignacio, una de las mejores obras de la arquitectura colonial neogranadina–. En este edificio funcionó inicialmente la Academia Javeriana, origen de la Pontificia Universidad que, junto al Colegio Mayor de Nuestra Señora del Rosario, fueron las primeras instituciones académicas del Nuevo Reino. A partir de 1777, con la expulsión de los jesuitas decretada por el rey Carlos III, sirvió de sede al Colegio Seminario. Entre 1823 y 1938 albergó a la Biblioteca Nacional. En 1942, durante el gobierno de Eduardo Santos, se destinó como sede permanente del Museo de Arte Colonial.

Entre 1913 y 1922, el Museo Nacional se alojó en el primer piso del Pasaje Rufino Cuervo –hoy desaparecido–, ubicado en la calle 15 entre carreras 7 y 8, sobre el río San Francisco. Esta obra fue iniciada en 1910 –según algunas fuentes, hacia 1880– por el ingeniero español Alejandro Manrique, y concluyó en 1924.

Entre 1923 y 1944, el Museo Nacional atendió al público en el cuarto piso del edificio Pedro A. López –hoy Ministerio de Agricultura– localizado en la esquina de la Avenida Jiménez con carrera 8, junto al desaparecido Pasaje Cuervo. El citado edificio fue construido entre 1919 y 1922 por el ingeniero norteamericano Robert M. Farrington, y fue allí donde el Museo Nacional alcanzó su más efectivo desarrollo antes de llegar a su sede definitiva. En 1938 se hallaba organizado en ocho salas destinadas a las colecciones de arqueología, a los períodos denominados

Planta baja del edificio de Las Aulas, ocupada por el Museo Nacional entre 1845 y 1913

Esta hermosa edificación, situada en la carrera 6 con calle 9, alojó simultáneamente al Museo y la Biblioteca Nacionales. Fue declarada Monumento el 11 de agosto de 1975 y convertida en la sede permanente del Museo de Arte Colonial el 6 de agosto de 1942

Fotografía tomada hacia 1935

Fachada y costado norte del Pasaje Rufino Cuervo

Este edificio, propiedad del gobierno departamental de Cundinamarca, se hallaba situado en la calle 15 entre carreras 7 y 8. Fue demolido para ampliar la actual Avenida Jiménez, dejando al descubierto la fachada del edificio Pedro A. López. El Museo Nacional ocupó los salones del primer piso del costado norte desde 1913 hasta 1922

Fotografía publicada en *El gráfico*, nº 523, Bogotá, 24 de abril de 1920

Edificio Pedro A. López, sede del Museo Nacional desde 1923 hasta 1944

Construido entre 1919 y 1924, y localizado sobre la Avenida Jiménez con carrera 8, fue obra del ingeniero norteamericano Robert M. Farrington. Se observa la fachada occidental sobre la carrera octava y, a la izquierda, el Pasaje Rufino Cuervo.

Fotografía tomada hacia 1930, perteneciente a los archivos de la Sociedad de Mejoras y Ornato de Bogotá

El Museo Nacional en 1948

Instalado en el edificio de la antigua Penitenciaría de Cundinamarca, su sede definitiva

Conquista, Colonia, Independencia, Gran Colombia y República, a las colecciones de Mineralogía y Etnología, un salón de "variedades" con diversos objetos nacionales y extranjeros que no podían incluirse en las otras colecciones, y una galería de arte y retratos.

Finalmente, entre 1944 y 1946, antes de ocupar su sede actual, el Museo debió guardar sus colecciones históricas en depósito en uno de los edificios del Ministerio de Educación, situado en la Plaza de los Mártires, carrera 15 Nº 9-63.

Durante este largo período, los directores del Museo Nacional concentraron gran parte de su labor en la protección y el enriquecimiento de las colecciones, a pesar de las grandes limitaciones que imponían las sedes que de forma transitoria se le destinaban.

Algunas de las más notables personalidades colombianas del siglo XIX ocuparon la dirección del Museo y se erigieron en sus defensores ante las adversidades económicas y políticas, características de la inestabilidad del siglo anterior. Gracias a ellos y a su clarividente voluntad de legar a las generaciones futuras la voz de la historia, contamos hoy con un museo de inigualable trascendencia para el patrimonio cultural colombiano: el científico naturalista Mariano Eduardo de Rivero; Jerónimo Torres [1771-1839], jurisconsulto y matemático, hermano del prócer Camilo Torres; el médico y naturalista Manuel María Quijano [1782-1856], el abogado y matemático Benedicto Domínguez del Castillo [1783-1868], el historiador militar Joaquín Acosta [1800-1852], el presbítero Pablo Agustín Calderón [1798-1856], el jurisconsulto, docente y estadista José Ignacio de Márquez [1793-1880], el botánico, docente y escritor de costumbres Genaro Valderrama, el abogado y escritor Leopoldo Arias Vargas [1832-1884], el historiador José María Quijano Otero [1836-1883], el filólogo, político y presidente

Sala de Exposiciones Temporales, primer piso

Aspecto de la muestra titulada «Pintura contemporánea de México», noviembre de 1961 de la República Miguel Antonio Caro [1843-1909], el escritor y catedrático José Caicedo Rojas [1816-1898], y el científico Fidel Pombo Rebolledo [1837-1901].

También, en la primera mitad del presente siglo, el historiador militar Ernesto Restrepo Tirado [1862-1948], el poeta Diego Uribe [1867-1921], el arqueólogo e historiador Gerardo Arrubla [1872-1946], el geólogo Ricardo Lleras Codazzi [1869-1940] y la museóloga y diplomática Teresa Cuervo Borda [1889-1976], fueron algunas de las figuras sobresalientes que no sólo impidieron la desaparición del Museo sino que contribuyeron a su engrandecimiento, difusión y dignificación.

El Museo Nacional: origen de varios museos

Durante las primeras décadas del siglo XX, cuando el Museo Nacional había reunido ya numerosas colecciones –piezas notables, reconocidas, con un alto nivel artístico y científico–, se crearon algunos museos especializados a partir de sus fondos:

· En abril de 1903 se dispuso la creación del Museo de la Escuela de Bellas Artes de la Universidad Nacional, con base en las colecciones artísticas del Museo Nacional.

· En julio de 1905, las colecciones de botánica que integraban el Herbario, pasaron a la Facultad de Medicina y Ciencias Naturales de la Universidad Nacional.

· En 1920, la Ley 47 ordenó traspasar gran parte de los objetos relacionados con la vida del Libertador para la creación del Museo de la Quinta de Bolívar en Bogotá.

· En 1935, por Decreto 2148 del Ejecutivo, las colecciones de zoología pasaron al Museo de Ciencias Naturales de la Facultad de Medicina de la Universidad Nacional (actual Museo de Historia Natural del Instituto de Ciencias Naturales).

· En octubre de 1938, el Decreto 1854 ordenó la creación del Museo de Armas del Ejército, que inició su funcionamiento en la Escuela de Artillería, con una selección de las colecciones de armas de los museos históricos del país. Hoy en día se denomina Museo Militar.

· En 1939 se creó el Museo Arqueológico y Etnográfico del Ministerio de Educación, a partir de las colecciones de arqueología y etnografía indígena del Museo Nacional, las cuales fueron entregadas entre 1939 y 1944. Este museo funcionó inicialmente en la sede de la Biblioteca Nacional.

· En 1942 las colecciones de geología, mineralogía y paleontología pasaron a formar parte del museo geológico de la Facultad de Matemáticas e Ingeniería de la Universidad Nacional (actual Museo Geológico Nacional José Royo y Gómez de Ingeominas). También en 1942, los fondos coloniales constituyeron la base de las colecciones del nuevo Museo de Arte Colonial, inaugurado el 6 de agosto de este año en el edificio de Las Aulas.

· En 1960, con gran parte de las colecciones de la época de la Independencia, se fundó la Casa Museo del 20 de Julio de 1810, según lo ordenado en la Ley 95 de 1959.

Entre 1947 y 1948, al llegar a su sede definitiva, el de Bellas Artes y el Arqueológico y Etnográfico fueron los únicos museos que, nacidos de las colecciones del Museo Nacional, volvieron a integrarse a él.

Nave central de la sala sur, tercer piso

Después de las obras de adecuación de 1976-1978

Sala Fundadores de la República, costado occidental, segundo piso

El Proyecto de Restauración Integral del edificio se inició en 1989. Las intervenciones en esta sala incluyeron el piso, la cubierta, las instalaciones eléctricas y de seguridad

Bóveda de orfebrería, celda sur-occidental del primer piso

Este espacio, inaugurado al público el 2 de agosto de 1994, permitió por vez primera exhibir en forma permanente, bajo riguroso sistema de seguridad, las piezas de oro prehispánico y algunos objetos testimoniales de las colecciones de historia

Ala sur-occidental

En noviembre de 1996 concluyeron las obras de adecuación de este espacio destinado a las áreas administrativas y de servicios internos

Exposición especial «Obras en prisión», sala sur, segundo piso

En 1996, con motivo del Proyecto de Restauración Integral del edificio, las colecciones fueron reubicadas mediante una estrategia de traslado que permitió mantener exhibidas al público las obras más notables del arte y la historia de la nación

El Museo en su sede definitiva

Para 1946, el Museo Nacional sólo conservaba sus colecciones históricas, pues las demás habían sido disgregadas y transformadas en pequeños museos con vocación específica. El "Museo Histórico", como se le conocía, se hallaba en depósito en un edificio de la Plaza de los Mártires.

En marzo de aquel año, el Ministerio de Educación Nacional y la Comisión Organizadora de la IX Conferencia Panamericana decidieron instalar el Museo en el edificio de la antigua Penitenciaría Central de Bogotá, conocida popularmente como "el Panóptico", que sería abandonada en el mes de julio debido a su traslado a una nueva sede (actual Penitenciaría de La Picota). Al mes siguiente Teresa Cuervo Borda, designada nueva directora, presentó al Ministerio un proyecto de reorganización del Museo Nacional de Colombia, para lo cual propuso "incorporarle los Museos de Arqueología, de Ciencias Naturales y de Bellas Artes, que funcionan hoy separadamente".

Tras haber servido de prisión durante 71 años, la sede actual y definitiva del Museo fue restaurada y adecuada bajo la dirección del arquitecto Manuel de Vengoechea Mier, con la colaboración de Hernando Vargas Rubiano como arquitecto residente. Las obras se ejecutaron entre 1947 y 1948. En el proyecto se buscó adaptar el interior del edificio a las nuevas funciones museográficas y borrar las huellas del pasado carcelario: sus muros habían sido testigos de dolorosas confrontaciones políticas y habían llegado a asimilarse a ellas a tal punto que muchos deseaban verlos demolidos.

La inauguración del Museo se fijó para el 9 de abril de 1948, pero debió postergarse debido a los motines ocurridos en la ciudad por el asesinato del líder liberal Jorge Eliécer Gaitán. El 2 de mayo se abrió al público el edificio con "tres museos nacionales": en el primer piso, el Museo Arqueológico y Etnográfico; en el segundo piso, el Museo Histórico; y en el tercer piso, el Museo de Bellas Artes. Las colecciones arqueológicas y etnográficas continuaron a cargo del Instituto Colombiano de Antropología, y las colecciones históricas y de arte de la dirección del Museo Nacional, dependiente de la Universidad Nacional de Colombia.

En diciembre de 1968 se creó el Instituto Colombiano de Cultura -Colcultura-, adscrito al Ministerio de Educación Nacional. El Museo Nacional de Colombia, fundado 146 años atrás, y el Instituto Colombiano de Antropología, pasaron a depender del nuevo ente.

Teresa Cuervo ejerció la dirección del Museo hasta 1974. Su administración es reconocida como una de las más fructíferas para el desarrollo del Museo Nacional de Colombia.

El 11 de agosto de 1975 la sede del Museo fue declarada Monumento Nacional, mediante el Decreto 1584, lo cual condujo a la realización de algunas obras de restauración del edificio, efectuadas entre 1976 y 1978.

Sin embargo, para 1988 su estado de deterioro era tal que llegó a atentar contra la conservación de las colecciones. Los riesgos de ruina pusieron incluso en peligro la seguridad de los visitantes, pues hasta entonces la edificación sólo había sido objeto de dos intervenciones parciales.

La inminente restauración hizo necesario emprender un profundo análisis de la vocación y las misiones del Museo Nacional y clarificar la nueva distribución de las colecciones. Fue así como entre 1989 y 1990 se elaboró el documento "Reprogramación y diseño del Museo Nacional", el cual permitió, con la asesoría de reconocidos historiadores, formular por primera vez de forma sistemática la museografía unificada en torno a un gran recorrido: la Historia de la Cultura Nacional. El propósito fundamental de este trabajo fue recuperar el triple carácter original del Museo: ciencia, historia y arte. La propuesta incorporó las colecciones de arqueología como inicio de la Historia de la Nación, y sugirió la ubicación de las colecciones de etnografía indígena y afrocolombiana del siglo XX al final del recorrido (hoy incluidas en el proyecto de ampliación dentro de lo que será el Pabellón de Etnografía). A la vez, estructuró las colecciones de arte en un programa cronológico que conformará la futura Galería de Arte Nacional (hoy incluida en el proyecto de ampliación como Pabellón de Arte). El documento identificó también la urgente necesidad de fortalecer en forma permanente la investigación científica de las colecciones y desarrollar un amplio y continuo programa de adquisiciones.

Ciento setenta y cuatro años después, las colecciones del Museo ascienden a más de 20.000 piezas símbolos de la historia y el patrimonio cultural nacionales: objetos de arqueología de las diferentes culturas prehispánicas y de la etnografía indígena y afrocolombiana del siglo XX, testimonios de los diferentes períodos de la historia nacional, y obras de valor artístico que van desde la época colonial hasta el arte de Fernando Botero y Alejandro Obregón.

En el presente, las Unidades Administrativas Especiales Museo Nacional de Colombia e Instituto Colombiano de Antropología -Ican-, dependen del Ministerio de Cultura –creado en agosto de 1997–, y son las encargadas de la investigación, conservación y difusión de las colecciones que integran el Museo.

El monumento

La Penitenciaría Central de Cundinamarca

EN 1847, A PETICIÓN DEL PRESIDENTE DE LA REPÚBLICA GENERAL TOMÁS CIPRIANO DE MOSQUERA, EL ARQUITECTO DANÉS THOMAS Reed viajó de Caracas a Bogotá con el fin de dictar una cátedra en la Universidad Central, entrenar aprendices de construcción y diseñar un edificio destinado a los altos poderes nacionales, conocido hoy como Capitolio Nacional. Hacia 1855, Reed se encargó también de proyectar la futura Penitenciaría Central, pero abandonó el país en la década de 1860 sin haber iniciado la construcción de su obra, cuyos planos originales se conservan hoy en el Archivo General de la Nación.

El 22 de enero de 1873, el gobierno ordenó la construcción de la Penitenciaría según los planos de Reed, para lo cual el Congreso de los Estados Unidos de Colombia cedió al Estado Soberano de Cundinamarca un terreno en el alto de San Diego. En la esquina sur-occidental del edificio se conserva la primera piedra fechada el 1° de octubre de 1874.

Aunque la finalización de las obras tomó cerca de 30 años, para 1886 la Penitenciaría ya se hallaba en servicio y, junto a los delincuentes comunes, terminó por alojar gran cantidad de presos políticos de contiendas civiles como la Guerra de los Mil Días (1899-1903). La Penitenciaría fue la prisión más importante del país durante casi 70 años. Sin embargo, con el rápido crecimiento de la ciudad durante las primeras décadas de este siglo, el edificio pronto quedó ubicado en el centro

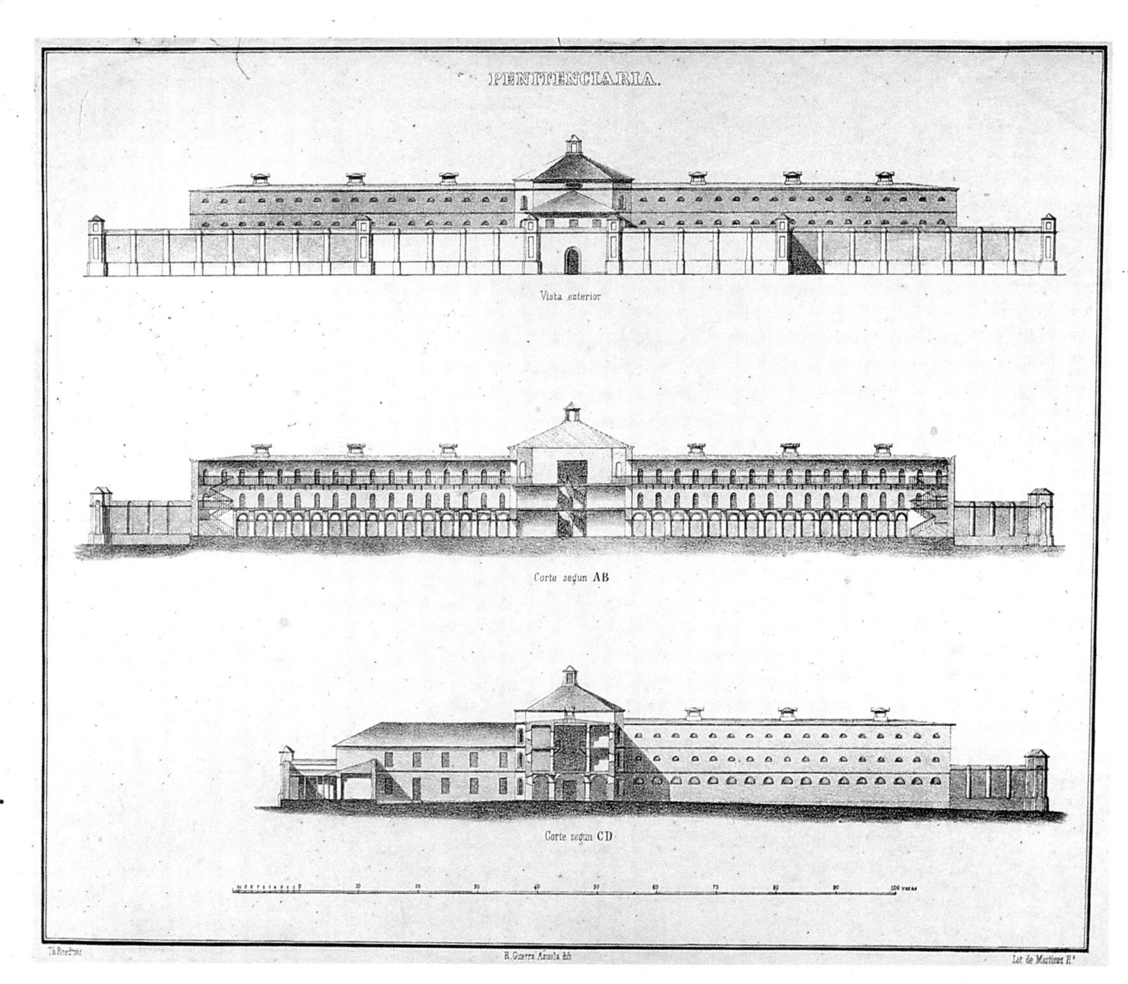

Thomas Reed (inv.)
Ramón Guerra Azuola (dib.)
Martínez Hermanos (lit.)

Penitenciaría. Vista exterior. Corte según AB. Corte según CD

Ca. 1855
Litografía
Archivo General de la Nación, Mapoteca 1, n° 65

Fachada de la Penitenciaría

Fotografía tomada en 1905, perteneciente a los archivos de la Sociedad de Mejoras y Ornato de Bogotá

Una de las salas del primer piso

En la época de la Penitenciaría, hacia la década del treinta

Fotografía publicada en *Reminiscencias liberales, 1897-1937*, de José Manuel Pérez Sarmiento, con el título «Un rastrillo, hoy habilitado de comedor»

Vista posterior de la Penitenciaría

En primer plano se observan las huertas de la Penitenciaría, al fondo, a la derecha, las cavas y la fábrica de Bavaria

Fotografía tomada en 1905, perteneciente a los archivos de la Sociedad de Mejoras y Ornato de Bogotá

Ala sur de la Penitenciaría

Vista general del segundo y tercer piso

Fotografía publicada en *Reminiscencias liberales, 1897-1937*, de José Manuel Pérez Sarmiento, Bogotá, 1938, con el título «Las celdas»

«La Escuela» de la prisión

Este lugar se ubicaba en lo que hoy es el interior del Auditorio Teresa Cuervo Borda. Durante su reciente restauración (1996-1997), se descubrieron, sobre la muralla del costado norte, huellas de la escalera que se observa al fondo, a la derecha

Fotografía publicada en *Reminiscencias liberales, 1897-1937*, de José Manuel Pérez Sarmiento

Entrada principal de la Penitenciaría

Fotografía tomada hacia 1940, perteneciente a los archivos de la Sociedad de Mejoras y Ornato de Bogotá

mismo de la capital. El gobierno nacional construyó una nueva prisión, alejada del núcleo urbano, a donde trasladó los reclusos y destinó este inmueble para albergar el Museo Nacional. El edificio fue restaurado entre 1947 y 1948 para adaptar su interior a las nuevas funciones museográficas. En su visita al país, en junio de 1947, el arquitecto belga Le Corbusier no sólo expresó su admiración por la solidez y belleza de la edificación, sino que aplaudió la oportuna decisión de fundir en un solo cuerpo, dos entes patrimoniales tan notables y dignos de preservarse.

Los valores arquitectónicos e históricos de esta construcción condujeron al gobierno el 11 de agosto de 1975 a declararla Monumento Nacional, por lo cual se llevaron a cabo algunas obras de adecuación entre 1976 y 1978. Transcurridas varias décadas, las connotaciones políticas que pesaban sobre el edificio habían desaparecido; en esta segunda intervención se permitió recuperar parte del aspecto original de la Penitenciaría al descubrir las estructuras de los techos y retirar el tapiz de las paredes.

Estos arreglos, sin embargo, no atendieron el estado estructural y, en 1988, ante el deterioro del edificio, el gobierno decidió iniciar los estudios técnicos conducentes a la restauración integral del Monumento, proyecto que se puso en marcha en 1989 con la certera visión de abarcar tanto la arquitectura como la tecnología necesaria para el óptimo funcionamiento de los espacios, las colecciones, la museografía y el sentido museológico global.

Restauración del edificio (1989-1999)

Desde 1989 el Instituto Colombiano de Cultura –actual Ministerio de Cultura– adelanta la restauración integral del edificio sede del Museo, que se espera concluir hacia 1999, bajo la aprobación y tutela del Consejo de Monumentos Nacionales. Las investigaciones, análisis y definición de criterios de restauración se han orientado, fundamentalmente, a la exaltación de los valores históricos y tipológicos de su arquitectura y se ha señalado la importancia de considerar el carácter original en los diversos planos espaciales y temporales de la historia del edificio: esto es, la concepción inicial del arquitecto proyectista en la década de 1850, las diversas variaciones que el proyecto tuvo durante los treinta años de su construcción (1874-1905) –aún con las adiciones que sufrió en la primera mitad del siglo xx– y las adecuaciones de 1947-1949 y 1976-1978.

Hasta el momento se ha restaurado más del 40% de la edificación, que comprende el vestíbulo principal, la Sala de Exposiciones Temporales, el primer piso de las alas norte, oriental y sur, el Auditorio Teresa Cuervo Borda, la Sala Fundadores de la República en el segundo piso, y la adecuación del ala sur-occidental para funciones administrativas y de la casa norte para reservas de arqueología y etnografía. Para fines de 1997 concluirá la adecuación del ala nor-occidental y la restauración del ala norte en los pisos 2° y 3°. El proceso ha implicado la realización de diversos estudios técnicos, con el fin de obtener un edificio sismo-resistente y dotarlo de la infraestructura de servicio que requiere un museo. Deben también mencionarse las intervenciones efectuadas en los patios del Liceo Nacional Policarpa Salavarrieta y la Universidad Colegio Mayor de Cundinamarca, obras que han sido decisivas en el rescate de las alas del primer piso. Así mismo se desarrolló una compleja programación para redistribuir las colecciones de acuerdo con las etapas del proyecto y el diseño de las redes de seguridad, conservación e informática.

Entre 1998 y 1999 se adelantará la restauración completa de las alas oriental y sur en los pisos segundo y tercero, y la Rotonda, así como la restauración y consolidación de los materiales que componen las fachadas exteriores e interiores.

Las arcadas del jardín sur hacia 1950

Sala de Pintura Colombiana en 1961

Este espacio, situado en el tercer piso del ala norte, entró en proceso de restauración a fines de 1996

Bóvedas de rasilla o catalanas

Sirven como soportes de las escaleras principales. Fueron diseñadas por Manuel de Vengoechea Mier hacia 1947, quien contrató a un técnico catalán especializado en su ejecución

La Sala Fundadores de la República, segundo piso

Entre 1976 y 1978, sólo se eliminó el cielorraso

Durante la primera etapa de restauración,

se recuperó la estructura de madera de la cubierta de la Sala Fundadores de la República, reciclando las cerchas originales. En esta ocasión, los trabajos incluyeron la hechura de una viga de amarre en concreto, el reciclaje total de las estructuras y la disminución del peso total de la cubierta

La nave lateral del ala sur, tercer piso,

una vez finalizados los trabajos de adecuación en 1978

Vestíbulo principal

Restaurado en 1989 y readecuado en 1994 para la inauguración de las nuevas salas del primer piso

En diciembre de 1990,

durante la primera etapa de restauración, la Sala de Exposiciones Temporales fue intervenida. En la foto se observa un aspecto de la exposición *Henry Moore, hacia el futuro* (1997)

obras
Moore
Hacia el futuro

El acceso a la garita sur-occidental,

destinada a los centinelas de la antigua Penitenciaría y clausurada décadas atrás, fue descubierto en agosto de 1993. Al fondo, el cerro tutelar y la iglesia de Monserrate

En diciembre de 1992,

se intervino y dio el nombre a la Plazoleta Epifanio Garay (esquina sur-occidental), se adecuaron los antejardines sobre la carrera 7, se peatonalizó y construyó el andén de la calle 29

Las salas norte, oriental y sur del primer piso

Allí se exhiben las colecciones de arqueología y etnografía. Su restauración concluyó en enero de 1994

Pintura mural hallada en la actual Bóveda de Orfebrería

Se descubrió en 1993, en la antigua celda sur-occidental, durante la etapa de restauración del primer piso

Caricatura

Descubierta en 1993 en la antigua celda sur-occidental durante la restauración del primer piso del Museo, actual Bóveda de Orfebrería

ADECUACIÓN INICIAL

1947/1948

Arq. Manuel de Vengoechea Mier
Arq. Hernando Vargas Rubiano

INTERVENCIÓN MUSEOGRÁFICA

1976/1978

Arq. Dicken Castro Duque
Arq. Jacques Mosseri
Arq. Carlos Niño Murcia

PROYECTO DE RESTAURACIÓN INTEGRAL

Primera etapa 1989/1995

Arq. Víctor Bejarano Chaux
Arq. Urbano Ripoll
Arq. Alfredo de Brigard
José Darío Hernández V. y Asc. Ltda.
Áreas Ltda. Ingenieros Constructores
Proyectos y Diseños Ltda.
Plinio Navarro y Cía. Ltda.
Pedro Nel Triviño y Cía Ltda.
Ing. Nicolás Arrubla
Arq. Alejandro Cárdenas P. [PROYECTO MUSEOGRÁFICO]

Segunda etapa 1996/1999

José Darío Hernández V. y Asc. Ltda.
Arq. Viviana Ortiz Monsalve
Botero Muñoz y Cía. Ltda.
Arq. Gustavo Murillo Saldaña
Áreas Ltda. Ingenieros Constructores
Proyectos y Diseños Ltda.
Ing. Álvaro Tapias
ConConcreto S. A.
Ing. Edgar Robayo
Construcciones Acústicas Ltda.
Servicios Informáticos Ltda.
Lifegard Security

El proyecto de ampliación: hacia el siglo XXI

El Consejo Nacional de Política Económica y Social –Conpes– y el Congreso de la República, mediante la Ley 188 del 2 de junio de 1995, aprobaron destinar los recursos necesarios para la ampliación del Museo Nacional de Colombia, con el ánimo de responder al programa de incremento de las colecciones y brindar al público de hoy y del próximo siglo, la totalidad de los servicios dignos del gran Museo Nacional que merecemos los colombianos.

Esta ampliación se extenderá sobre el espacio que ocuparon las antiguas huertas de la Penitenciaría, donde funcionan en la actualidad el Liceo Nacional Policarpa Salavarrieta y la Universidad Colegio Mayor de Cundinamarca. Por esta razón, el Ministerio de Educación Nacional desarrollará, en forma simultánea, un programa de modernización consistente en el diseño y construcción de nuevas sedes para las dos entidades educativas, en condiciones arquitectónicas, ambientales y tecnológicas que les permitirán un mayor potencial de servicio a la comunidad.

Para el proyecto de ampliación será convocado un concurso de diseño nacional e internacional que, según el concepto de la Sociedad Colombiana de Arquitectos, será el concurso arquitectónico más importante en la historia del país, tanto por las características del proyecto y su significado para la Nación, como por su aporte al desarrollo urbanístico del centro de la capital de la República.

Debido a la complejidad del proyecto, que agregará un área aproximada de 26.000 metros cuadrados al Museo actual, más 10.000 metros de espacio público y otros 8.000 metros de zonas de parqueo, el Museo Nacional ha acudido a la asesoría de diversas entidades nacionales e internacionales, con el fin de garantizar la calidad de cada una de las exigencias de conservación, investigación y exhibición para el Museo Nacional de los colombianos del siglo XXI. Entre las entidades vinculadas se cuentan el Departamento Nacional de Planeación, el Fondo Financiero de Proyectos de Desarrollo –Fonade–, la Sociedad Colombiana de Arquitectos y el Programa de las Naciones Unidas para el Desarrollo –PNUD–. Se cuenta también con la consultoría de la Dirección de Museos de Francia, el Museo del Louvre y el Smithsonian Institution de Washington.

El proyecto de ampliación permitirá convertir el antiguo edificio en una especie de "túnel del tiempo" que ofrecerá a los visitantes un panorama de la

En el centro del edificio, en el primer piso,
fue instalado el aerolito de Santa Rosa de Viterbo en 1994, bajo el vacío de la Rotonda. Al fondo se observa la Sala Sociedades Complejas

historia de la cultura nacional a través de sus grandes períodos. Teniendo en cuenta este objetivo, se ha proyectado denominar "Pabellón de Historia de la Nación" al edificio actual, y crear, en los terrenos adyacentes, los Pabellones de Etnografía y de Arte.

El Pabellón de Etnografía se consagrará a la investigación y exhibición de testimonios de los grupos indígenas y las poblaciones afrocolombianas que hacen de Colombia un país multiétnico y pluricultural. El Pabellón de Arte exhibirá en forma permanente una selección de piezas ilustrativas del desarrollo artístico en Colombia, desde la época prehispánica hasta el presente, con una sección internacional que permitirá al público no sólo comprender la relación del arte colombiano dentro del contexto latinoamericano y universal, sino acceder a la contemplación directa de obras notables de otras culturas.

Estos pabellones se integrarán al de Historia de la Nación e incluirán, además de los espacios de exhibición permanente y temporal, las áreas técnicas destinadas a la conservación y depósito de las colecciones en reserva –las cuales deberán prever su crecimiento futuro–, laboratorios de investigación y restauración, zonas de documentación y consulta abiertas al público, una gran sala múltiple que acogerá anualmente el Salón Nacional de Artistas, y los servicios complementarios fundamentales para hacer más grata y enriquecedora la visita al Museo.

Dentro de los estudios requeridos para la ampliación, el tema del espacio público constituye un capítulo muy importante. La ubicación privilegiada del Museo Nacional y su condición de hito arquitectónico del centro de la ciudad, exigen un tratamiento particular de las zonas verdes que obligará a los diseñadores a proponer alternativas que contribuyan al mejoramiento del entorno urbanístico.

La realización de un conjunto arquitectónico contemporáneo que incorpore y respete el monumento del siglo XIX, será uno de los grandes temas en torno al cual deberán reflexionar quienes participen en este proyecto. El concurso de ampliación del Museo Nacional de Colombia significa el ingreso del país, en las postrimerías de este siglo, a una de las corrientes universales de la cultura: la conjunción de la arquitectura con el concepto moderno de museo.

Auditorio Teresa Cuervo Borda

Las nuevas reservas de arqueología

Cuentan con 216 metros cuadrados de espacio destinados a preservar estas colecciones

Para las reservas de obras sobre papel,

se adquirió un mobiliario que cumple con los requisitos que exigen las normas de conservación

Aspecto del ala nor-occidental, primer piso, sometida a restauración en 1997

Este espacio se destinará para ofrecer al público los servicios de cafetería, restaurante y venta de publicaciones y objetos relativos a las colecciones

Durante la restauración del tercer piso del ala norte,

el techo original fue retirado por completo

La ampliación del Museo Nacional

Constituirá uno de los aportes más significativos al desarrollo urbanístico del centro de la capital de la República

El proyecto de ampliación

Se estima que agregará un área de 26.000 metros cuadrados al Museo actual, más 10.000 metros de espacio público y otros 8.000 metros de zonas de parqueo subterráneo

Las colecciones

Arqueología

Colecciones de

CERCA DE 10.000 PIEZAS QUE SE EMPEZARON A COLECCIONAR COMO "CURIOSIDADES" EN EL SIGLO XVIII, como "antigüedades" en el siglo XIX y como resultado de la investigación sistemática a partir de las primeras décadas del siglo XX, constituyen la colección arqueológica conservada por el Instituto Colombiano de Antropología -Ican- en el Museo Nacional de Colombia.

Al fundarse el Museo Nacional en el año de 1823, "grandes huesos de animales desconocidos" y "una momia encontrada cerca de Tunja" formaban parte de la colección. Posteriormente, durante la segunda mitad del siglo XIX se empezaron a producir importantes estudios sobre las "antigüedades de los indios", y en esa medida se fueron recolectando objetos de las culturas Muisca, Quimbaya y San Agustín.

A comienzos del siglo XX se produjeron las primeras investigaciones netamente arqueológicas, dentro de las cuales se encontraban las excavaciones realizadas por Konrad Theodor Preuss en San Agustín (1913-1914); Alden Mason en Pueblito y otras zonas Tairona (1922-1923); Carlos Cuervo Márquez y Gerardo Arrubla en Sogamoso (1924). Piezas importantes que eran exhibidas al público fueron producto de dichas excavaciones.

Con la creación del Servicio Arqueológico Nacional –fundado en 1938 por Gregorio Hernández de Alba– y del Instituto Etnológico Nacional –fundado en 1941 por Paul Rivet–, se estableció la arqueología en Colombia de manera definitiva y dentro de la cátedra se promovieron diversas expediciones con el fin de describir las áreas arqueológicas del país. En este contexto, Gregorio Hernández de Alba destacó la idea de considerar los objetos como documentos reveladores de la cultura de sus artífices y con ello impulsó un nuevo concepto en materia de "museo arqueológico".

Hacia 1950 excavaciones estratigráficas, informes de campo y datación a través del método del Carbono 14, proporcionaron datos más confiables sobre las diferentes áreas culturales del país. Fue dentro de este ámbito que procesos tan importantes como la sedentarización, el surgimiento de la agricultura y la cerámica pudieron ser debidamente registrados.

En la década del sesenta, los estudios se concentraron en las excavaciones de los primeros pobladores del territorio colombiano, bajo la dirección de Gonzalo Correal y Thomas van der Hammen, entre otros. Numerosos objetos, fruto de estas investigaciones, tales como instrumentos líticos y restos óseos que datan del 10.500 al 9.000 a.C., se integraron a la colección.

Durante los últimos años se ha hecho énfasis en la investigación de condiciones ambientales, con importantes resultados acerca de los suelos, polen y restos óseos, y se ha contribuido a esclarecer aún más el panorama del pasado prehispánico. Por tanto, patrones demográficos y de poblamiento, estrategias de producción, de intercambio y de consumo, se han podido establecer de manera acertada.

Las más recientes investigaciones, en la zona norte y en la Amazonía colombiana, han puesto al descubierto la gran antigüedad de los desarrollos regionales, a través de vestigios de aldeas muy tempranas de agricultores y de grupos de cazadores-recolectores.

Es así como se han podido registrar procesos de importancia capital como la domesticación de plantas y el surgimiento de la cerámica.

En conclusión estas colecciones, además de ser testigos de la historia de las sociedades prehispánicas, son testimonio de la conformación de la antropología como disciplina en Colombia.

La División de Arqueología del Instituto Colombiano de Antropología, alrededor de las investigaciones y reconocimientos regionales de carácter arqueológico que se realizan en el país, enriquece las colecciones cuantitativa y cualitativamente, y considera la calidad de la información recolectada en cada contexto.

En la actualidad, el Departamento de Arqueología del Museo Nacional conserva una colección de piezas representativas de los distintos períodos de poblamiento del territorio colombiano que van desde los grupos cazadores-recolectores –hace aproximadamente 12.000 años– hasta las sociedades complejas que existían a la llegada de los españoles. Para su catalogación e investigación, se hallan clasificadas en piezas cerámicas, líticas, óseas, orfebres y textiles.

Puntas de proyectil

10.000 a.C. (cronología relativa)
Material lítico (chert amarillo y blanco)
13.2 x 5.8 x 0.9 cm; 10.2 x 4 x 0.3;
10.1 x 5.3 x 0.3 cm
Códigos 01; 04; 03
Procedencia: Remedios y Puerto Berrío,
Departamento de Antioquia.

Raspadores plano-convexos

10.000 a.C. (cronología relativa)
Material lítico (chert)
11 x 5.1 x 2.1 cm; 10.5 x 5.5 x 2 cm; 9.5 x 6 x 1.6 cm
Códigos 34; 21; 35
Procedencia: Yondó, Barcelona y Remedios, Departamento de Antioquia.

Representación de rostro
(FRAGMENTO)

3.100 al 2.500 a.C. (cronología relativa)
Período Formativo
Cerámica con desgrasante vegetal
11 x 16.5 x 11 cm
Código 92-X-39
Procedencia: Conchero de Puerto Hormiga,
Departamento de Bolívar.

Vasija

(LA MÁS ANTIGUA EXCAVADA IN SITU EN COLOMBIA)
3.100 a.C.
Cerámica
21.5 x 38 x 30.5 cm
Código 92-XII-83
Procedencia: Conchero de Puerto Chacho, Departamento de Bolívar.

Vasija de cuerpo romboide y figuras antropomorfas

800 al 1.200 d.C. (cronología relativa)
Cerámica con aplicaciones
31 x 27 cm
Código 38-I-993
Procedencia: Manizales, Departamento de Caldas.

Vasija muisca sub-globular con cuello corto y tres asas

400 al 1.800 d.C. (cronología relativa)
Cerámica decorada con motivos geométricos en pintura café sobre crema
22.6 x 24.6 cm
Código 59-I-6686
Procedencia: Departamento de Cundinamarca.

Vasija rectangular de base plana

Siglo I a.C. (cronología relativa)
Período Formativo Tardío
Cerámica con decoración incisa
6.3 x 23.3 x 17.5 cm
Código 473-A-473
Procedencia: Arrancaplumas,
Honda, Departamento del Tolima.

Urna funeraria

500 al 900 d.C. (cronología relativa)
Cerámica marrón inciso
30.8 x 26.5 cm
Código 45-XIII-6253
Procedencia: Manizales, Departamento de Caldas.
Adquirida a Leocadio María Arango (1945).

Urna funeraria con tapa

800 al 1.100 d.C. (cronología relativa)
Cerámica
39.7 x 34.7 cm (urna); 23.3 x 23.1 cm (tapa)
Códigos P-Ser-56; P-Ser-120
Procedencia: Hacienda Angosturas, Puerto Serviez, Puerto Boyacá, Departamento de Boyacá.

Urna funeraria de cuerpo ovalado, cuello recto y base cóncava, con tres asas de figuras antropomorfas y zoomorfas

Siglos X al XVI d.C. (cronología relativa)
Cerámica con aplicaciones
49.5 x 41.5 cm
Código 233
Procedencia: Magdalena Medio.

Figura antropomorfa con cabeza en el vientre

500 a.C. al siglo I d.C. (cronología relativa)
Cerámica
17.8 x 12.6 x 8.1 cm
Código T-12
Procedencia: Tumaco, Departamento de Nariño.

Silbato de figura antropomorfa con malformación

500 a.C. al siglo I d.C. (cronología relativa)
Cerámica
13.4 x 8.4 x 6.5 cm
Código A-69-II-1, T-9
Procedencia: Tumaco, Departamento de Nariño.

Recipiente con soporte trípode mamiforme

500 a.C. al siglo I d.C. (cronología relativa)
Cerámica decorada con pintura roja
16.2 x 31.0 cm
Código T-957
Procedencia: Pampa de Nerete, Tumaco,
Departamento de Nariño.

Vaso silbante calima, de cuerpo doble, con figura antropomorfa

100 a.C. al 700 d.C. (cronología relativa)
Período Yotoco Calima
Cerámica
14.2 x 17.7 x 8.8 cms
Código 39-I-2264
Procedencia: Caicedonia, Departamento del Valle del Cauca.

Alcarraza calima con figura femenina

700 al 100 a.C. (cronología relativa)
Período Ilama Calima
Cerámica con aplicaciones
16.4 x 17.4 cm
Código Ca.112
Procedencia: Mediacanoa, Departamento
del Valle del Cauca.

Alcarraza mamiforme calima con asa puente y doble vertedera

100 a.C. al 700 d.C. (cronología relativa)
Período Yotoco Calima
Cerámica
17.3 x 19.2 cm
Código Quimb.735
Procedencia: Departamento del Valle del Cauca.

Collar calima

100 a.C. al 700 d.C. (cronología relativa)
Período Yotoco Calima
19 cuentas cilíndricas de cuarzo
Código 46-IV-6329
Procedencia: Restrepo, Departamento
del Valle del Cauca.

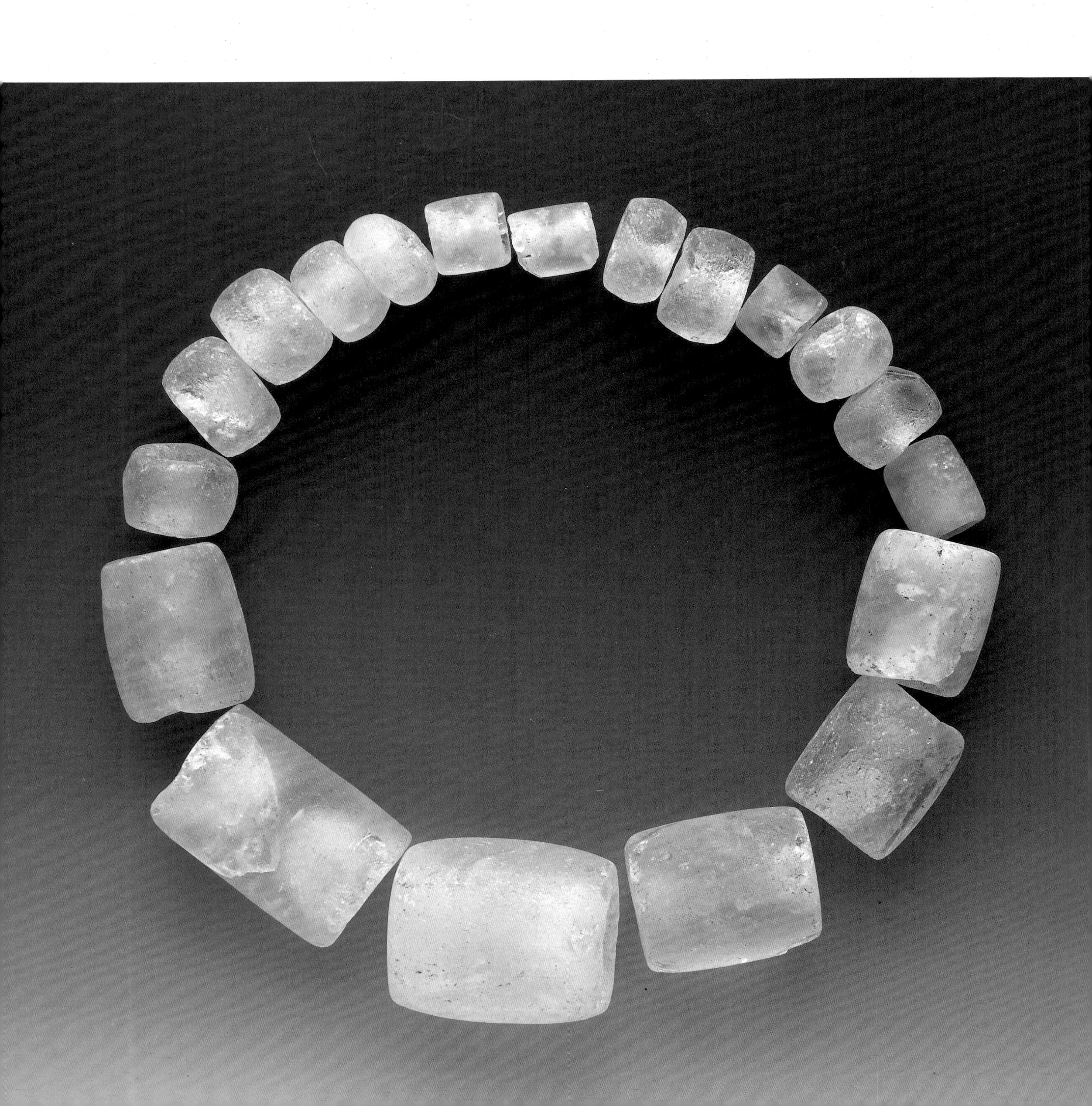

Alcarraza zoomorfa calima, con asa puente y una vertedera

100 a.C. al 700 d.C. (cronología relativa)
Período Yotoco Calima
Cerámica con pintura negativa negra sobre baño rojo
19.8 x 28 x 15.7 cm
Código Quimb.194
Procedencia: Departamento del Valle del Cauca.

Vasija antropomorfa calima, conocida como "gritón"

700 al 1.500 d.C. (cronología relativa)
Período Sonso Calima
Cerámica con aplicaciones
19.8 x 19.5 cm
Código Ca.99
Procedencia: Departamento del Valle del Cauca.

Vasija antropomorfa quimbaya de base plana, forma rectangular y boca ovalada

500 al 1.200 d.C. (cronología relativa)
Cerámica
12.3 x 31.5 x 21 cm
Código 88-VIII-38
Procedencia: Viejo Caldas.

Figura antropomorfa quimbaya

500 al 1.200 d.C. (cronología relativa)
Cerámica con pintura negativa blanca y negra sobre rojo
22 x 16 x 14.2 cm
Código Quimb.435
Procedencia: Viejo Caldas.

Sello redondo con figuras geométricas

500 al 1.200 d.C. (cronología relativa)
Cerámica con incisiones
2.8 x 11 cm
Código 89-VIII-93
Procedencia: Valle medio del Río Cauca.

Rodillo cilíndrico con figuras geométricas

500 al 1.200 d.C. (cronología relativa)
Cerámica con incisiones
12.9 x 6.1 cm
Código Quimb.145
Procedencia: Viejo Caldas.

Sello plano con figuras geométricas y agarradera

500 al 1.200 d.C. (cronología relativa)
Cerámica con incisiones
5.5 x 6.5 x 6.1 cm
Códigos Quimb.143
Procedencia: Departamento del Quindío.

Rodillo cilíndrico con figuras ornitomorfas

500 al 1.200 d.C. (cronología relativa)
Cerámica con incisiones
8.2 x 2.1 cm
Código Quimb.116
Procedencia: Departamento del Quindío.

Figura femenina con niño en la espalda

200 a.C. al 800 d.C.
(cronología relativa)
Material lítico
56 x 42 x 46 cm
Código 324
Procedencia: San Agustín,
Departamento del Huila.

Vasija de cuerpo alto, base plana y cuello corto

500 al 1.200 d.C. (cronología relativa)
Cerámica con aplicaciones lenticulares,
decorada con motivos geométricos en
pintura negativa negra y blanca sobre rojo
34.5 x 23 cm
Código 38-I-1065
Procedencia: Viejo Caldas.

Vasija nariño de cuerpo globular y cuello en forma de tortuga

850 al 1.500 d.C. (cronología relativa)
Período Capulí
Cerámica decorada con motivos geométricos en pintura negativa negro sobre rojo
12.5 x 13.4 cm
Código Na.77
Procedencia: Departamento de Nariño.

Ocarina nariño en forma de caracol

850 al 1.500 d.C. (cronología relativa)
Período Capulí
Cerámica negra decorada con diseños geométricos
11.2 x 10.7 cm
Código Na.877
Procedencia: Miraflores, Pupiales, Departamento de Nariño.

Alcarraza zoomorfa con asa puente y doble vertedera

800 a.C. al 500 d.C. (cronología relativa)
Cerámica
17.3 x 23 cm
Código Tr.4
Procedencia: Tierradentro, Departamento del Cauca.

Recipiente en forma de calabazo

800 a.C. al 500 d.C. (cronología relativa)
Cerámica
11.3 x 11.3 cm
Código 42-I-2856
Procedencia: Santa Rosa, Inzá, Tierradentro, Departamento del Cauca.

Vasija muisca sub-globular con dos asas y borde invertido

400 al 1.800 d.C. (cronología relativa)
Cerámica con incisiones y aplicaciones
15.3 x 20 cm
Código 38-I-91
Procedencia: Departamento de Cundinamarca.

Vasija guane de cuerpo cilíndrico horizontal, tres asas y cuello con representación antropomorfa

800 al 1.500 d.C. (cronología relativa)
Cerámica con aplicaciones, decorada con motivos geométricos en pintura roja sobre crema
38.6 x 32.5 x 28.7 cm
Código 70-IV-3365
Procedencia: Oiba, Departamento de Santander.

Máscara tairona

1.000 al 1.500 d.C. (cronología relativa)
Material lítico (lidita)
16.8 x 16 x 9.5 cm
Código 91-V-155
Procedencia: Alto Río Córdoba, El Chicharrón, Sierra Nevada de Santa Marta, Departamento del Magdalena.

Pectoral tairona en forma de murciélago

1.000 al 1.500 d.C. (cronología relativa)
Material lítico
5 x 24 x 1.5 cm
Código P-II-22, 46-XIV-6522
Procedencia: Pueblito,
Departamento del Magdalena.

Mochila guane

800 al 1.500 d.C. (cronología relativa)
Algodón
29 x 20 cm (cordón: 55 cm)
Código 41-III-2483
Procedencia: Mesa de los Santos, Departamento de Santander.

Figura femenina de pie

800 al 1.300 d.C. (cronología relativa)
Período Portacelli Fase I
Cerámica
27.4 x 13.7 cm
Código 41-VI-2683
Procedencia: Las Casitas, Municipio de Barrancas, Departamento de La Guajira.

Ofrendatario ceremonial muisca

400 al 1.800 d.C. (cronología relativa)
Cerámica con incisiones y aplicaciones
17 x 17.6 cm
Código 41-VII-2771
Procedencia: La Calera,
Departamento de Cundinamarca.

Figura masculina muisca con tocado ceremonial "caricure" y collar de huesos

400 al 1.800 d.C. (cronología relativa)
Cerámica con incisiones y aplicaciones
31.5 x 19.5 cm
Código 38-I-191, No.80
Procedencia: Guatavita,
Departamento de Cundinamarca.

Diadema o corona muisca con tres figuras ornitomorfas

400 al 1.800 d.C. (cronología relativa)
Oro laminar calado, con figuras macizas fundidas a la cera perdida
15.4 cm diámetro x 7.5 cm alto
320 gramos
Código 38-I-930
Procedencia: Altiplano cundiboyacense.

Silbato antropozoomorfo tairona

1.000 al 1.500 d.C. (cronología relativa)
Cerámica
9.7 x 4.4 cm
Código P-5
Procedencia: Departamento del Magdalena.

Pectoral muisca

400 al 1.800 d.C. (cronología relativa)
Oro fundido a la cera perdida, repujado con matrices de piedra
19.5 x 18.5 cm
400 gramos
Código 38-I-817
Procedencia: Machetá,
Departamento de Cundinamarca.

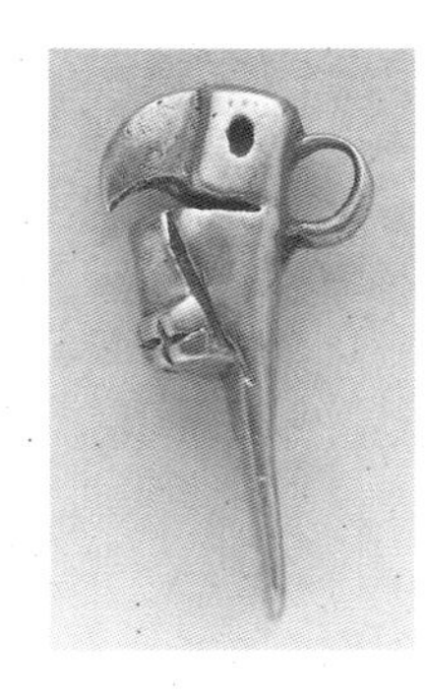

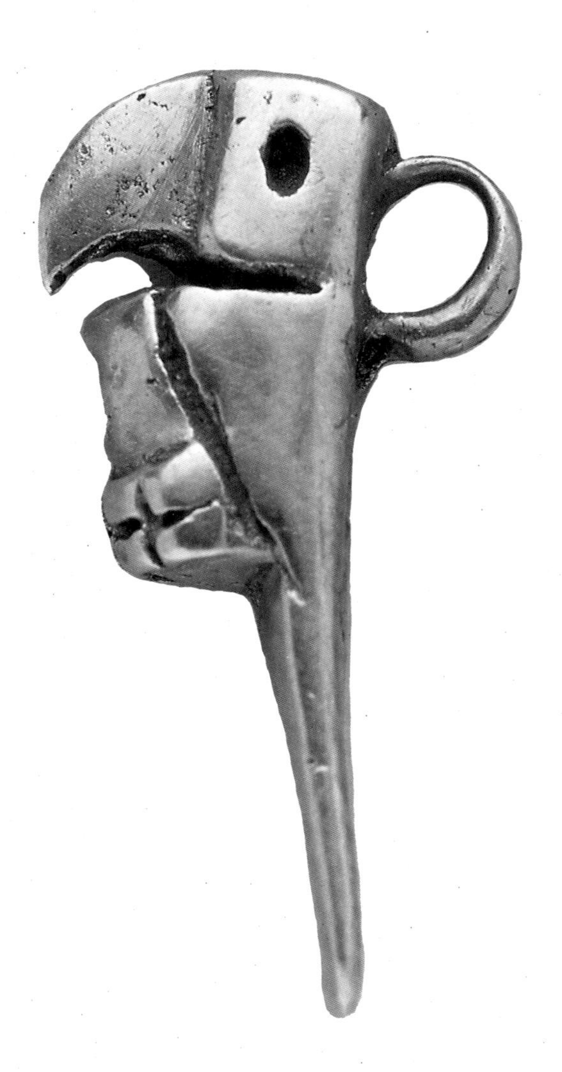

Pendiente ornitomorfo calima

100 a.C. al 700 d.C. (cronología relativa)
Período Yotoco Calima
Oro fundido a la cera perdida
3.7 x 1.7 cm
12.7 gramos
Código 43-II-4478
Procedencia: Viejo Caldas.

Cuchara ceremonial calima

300 a.C. al 1.200 d.C. (cronología relativa)
Oro laminado, grabado y cortado
20.8 x 3.7 cm
31.9 gramos
Código 43-II-4495
Procedencia: Valle medio del Río Cauca.

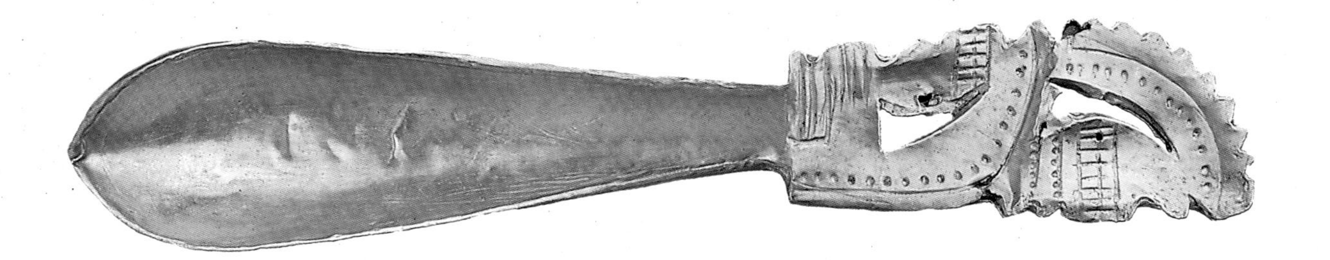

Nariguera laminar

200 al 800 d.C. (cronología relativa)
Oro
13.9 x 4 cm.
Código 48-IV-6621
Procedencia: San Agustín,
Departamento del Huila.

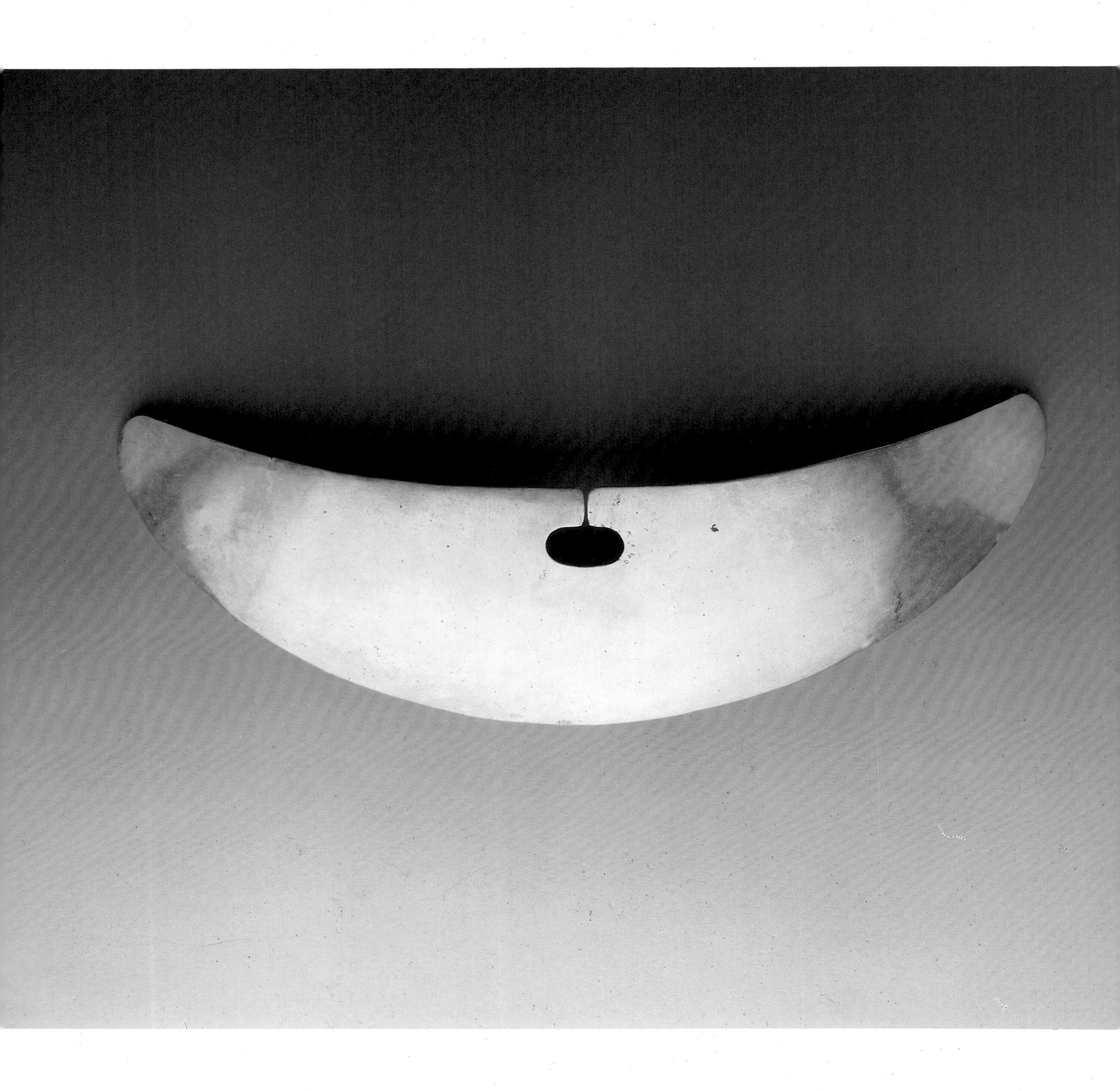

Collar quimbaya

500 al 900 d.C. (cronología relativa)
Oro fundido a la cera perdida. Consta de 34 cuentas circulares, 7 cilíndricas y 6 figuras ornitomorfas
25.5 gramos
Código 43-II-4471
Procedencia: Departamento de Quindío.

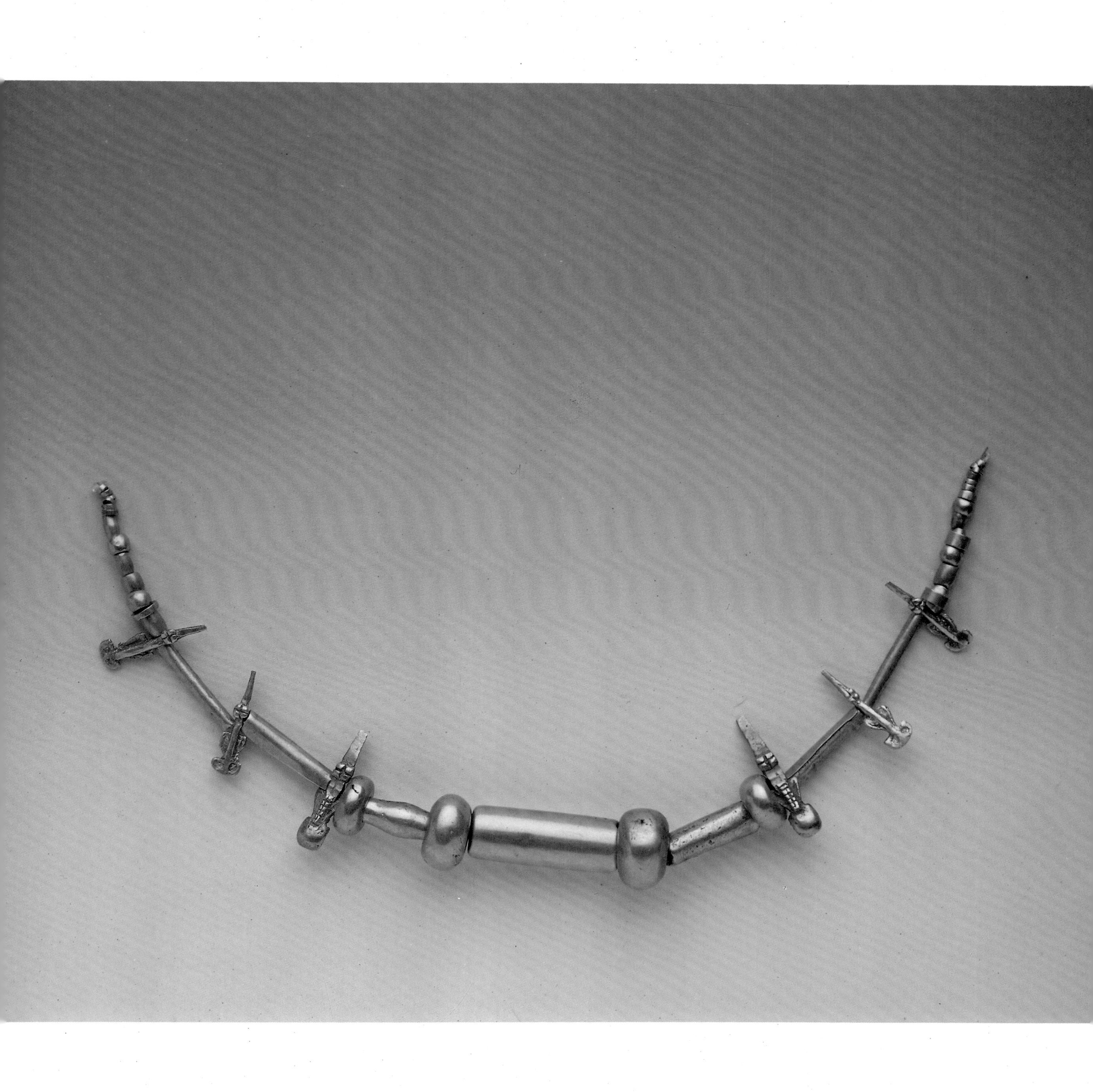

Etnografía

LA HISTORIA DE LA ETNOGRAFÍA EN COLOMBIA NO DIFIERE MUCHO DE LA HISTORIA DE LA ARQUEOLOGÍA. ESTAS dos disciplinas son producto de determinadas corrientes que se desarrollaron de manera paralela en nuestro país. Sin embargo, el discurso sobre las comunidades vivas diferentes a las llamadas sociedades "civilizadas" implicó una determinada manera de mirar, pensar y relacionarse con el otro. Fue así como en un principio se pretendió conseguir la uniformidad cultural y lingüística, tomando como base un modelo extranjero de vida que ofrecía "progreso y civilización".

Durante la mayor parte del siglo XIX, las comunidades indígenas fueron consideradas "salvajes" –ubicadas, en el mejor de los casos, en zonas "semicivilizadas"– y las comunidades afrocolombianas sufrieron, aun después de la abolición de la esclavitud, las consecuencias de fuertes prejuicios que las obligaron a trabajar en haciendas, a desplazarse a regiones periféricas o a unirse a grupos sociales más amplios. Aun así, con el reconocimiento y la valoración del mundo indígena, surgidos a mediados del siglo XIX, se recolectaron las primeras piezas de carácter etnográfico.

En 1917, el *Catálogo general del Museo de Bogotá*, publicado por su director Ernesto Restrepo Tirado, dedicó un tomo específico a la colección arqueológica y en él se incluyó una sección denominada "Objetos indígenas contemporáneos", donde se destacaron armas, tejidos, collares e instrumentos musicales provenientes del Magdalena, Darién, los Llanos, Guajira, Casanare y Caquetá.

Los procesos históricos que se dieron en la década de 1920 fuera y dentro del país, tales como la Revolución Mexicana, la constitución de nuevos grupos políticos y el movimiento encabezado por el indígena Manuel Quintín Lame, en el Cauca, mostraron otros horizontes que permitieron modificar el discurso inicial de homogeneidad por el de identidad indoamericana y defensa de las comunidades indígenas. Reflejo de ello fue la Exposición Arqueológica y Etnográfica que realizó Gregorio Hernández de Alba en 1938, donde las piezas etnográficas fueron presentadas desde la perspectiva de función y tecnología. En el mismo año se inició el registro de piezas arqueológicas y etnográficas, según el sistema de numeración y catalogación recomendado por el Instituto Etnológico de París.

En la década de 1940, se consolidó el interés por el estudio y apoyo a las comunidades indígenas, gracias a la fundación de los Institutos Indigenista y Etnológico Nacional –este último anexo a la Escuela Normal Superior–. Contando con la orientación de Paul Rivet, Gregorio Hernández de Alba y Justus Wolfran Schottelius, entre muchos otros profesores destacados, los pioneros Luis Duque Gómez, Edith Jiménez, Blanca Ochoa, Gerardo Reichel-Dolmatoff, Alicia Dussán, Roberto Pineda Giraldo, Virginia Gutiérrez de Piñeres, Milcíades Chaves, Miguel Fornaguera, Eliécer Silva Celis, Henry Lehmann, Alberto Ceballos, José de Recasens, María Mallol de Recasens, Lothar Petersen y Anna Kipper realizaron expediciones que cubrieron gran parte del territorio nacional. Uno de los objetivos específicos fue recolectar piezas que, además de enriquecer de manera definitiva y excepcional las colecciones, dieran cuenta de la tecnología y de la cultura material de ese momento. Este paso fundamental permitió considerar las piezas etnográficas como "artefactos" y las despojó definitivamente de su significado de "reliquia, antigüedad, curiosidad u obra de arte indígena".

Los estudios etnográficos que se desarrollaron sacaron a la luz la gran diversidad de las comunidades indígenas, sus formas de organización sociocultural, tradición oral y vida religiosa; los objetos recolectados fueron testimonio elocuente de ello. De esta manera se reunieron y registraron cerca de cuatro mil piezas de diversa índole como cestería, vestidos, atuendos cotidianos y rituales, armas de cacería, plumería, instrumentos musicales, collares, cerámicas y herramientas que hoy conforman la colección etnográfica.

Durante las últimas décadas continuaron desarrollándose múltiples estudios y las escuelas de pensamiento antropológico se reconocen en monografías que cubren la gran diversidad de los grupos existentes. Sin embargo, la recolección de la cultura material ha dejado de ser un objetivo fundamental y la adquisición de nuevas piezas es cada vez menor debido, entre otras causas, a nuevas técnicas de registro de información –tales como medios audiovisuales e investigaciones realizadas por y para la misma comunidad–, que permiten otras formas de reseñar en contexto los objetos utilizados por las comunidades indígenas y afrocolombianas contemporáneas.

Bastón ceremonial
(DETALLE)

Etnia Chamí
Madera tallada
136 x 7 x 1.8 cm
Código 51734-E-1734, 44-VII-5635
Procedencia: Occidente del Departamento de Risaralda (1944).

Barco de los espíritus

Etnia Noanamá
Balso tallado y pintado
47 x 51 cm
Código E-60-I-75
Procedencia: Río Docordó,
Departamento del Chocó (1960).

Kurusú

(TABLA MÉDICA)

Etnia Waunana
Balso pintado
36 x 62 cm
Código E-83-VII-598
Procedencia: Antadó, Dabeiba,
Departamento de Antioquia (1949).

Bastón ceremonial con figura de ave
(DETALLE)

Etnia Cuna
Madera tallada y pintada
107.5 x 4 cm
Código E-67-I-364
Procedencia: Arquía,
Departamento del Chocó
(1967).

Soal mimí

(FIGURA ANTROPOMORFA DE PIE EMPLEADA POR EL CHAMÁN EN RITOS DE CURACIÓN)

Etnia Cuna
Madera tallada
55 x 15 cm
Código E-83-IV-410
Procedencia: Arquía, Departamento del Chocó (1967).

Portador de tabaco
(DETALLE)

Etnia Tukano
Madera tallada
71 x 8 cm
Código 46-II-50288
Procedencia: Afluente del Papurí, Departamento del Vaupés (1946).

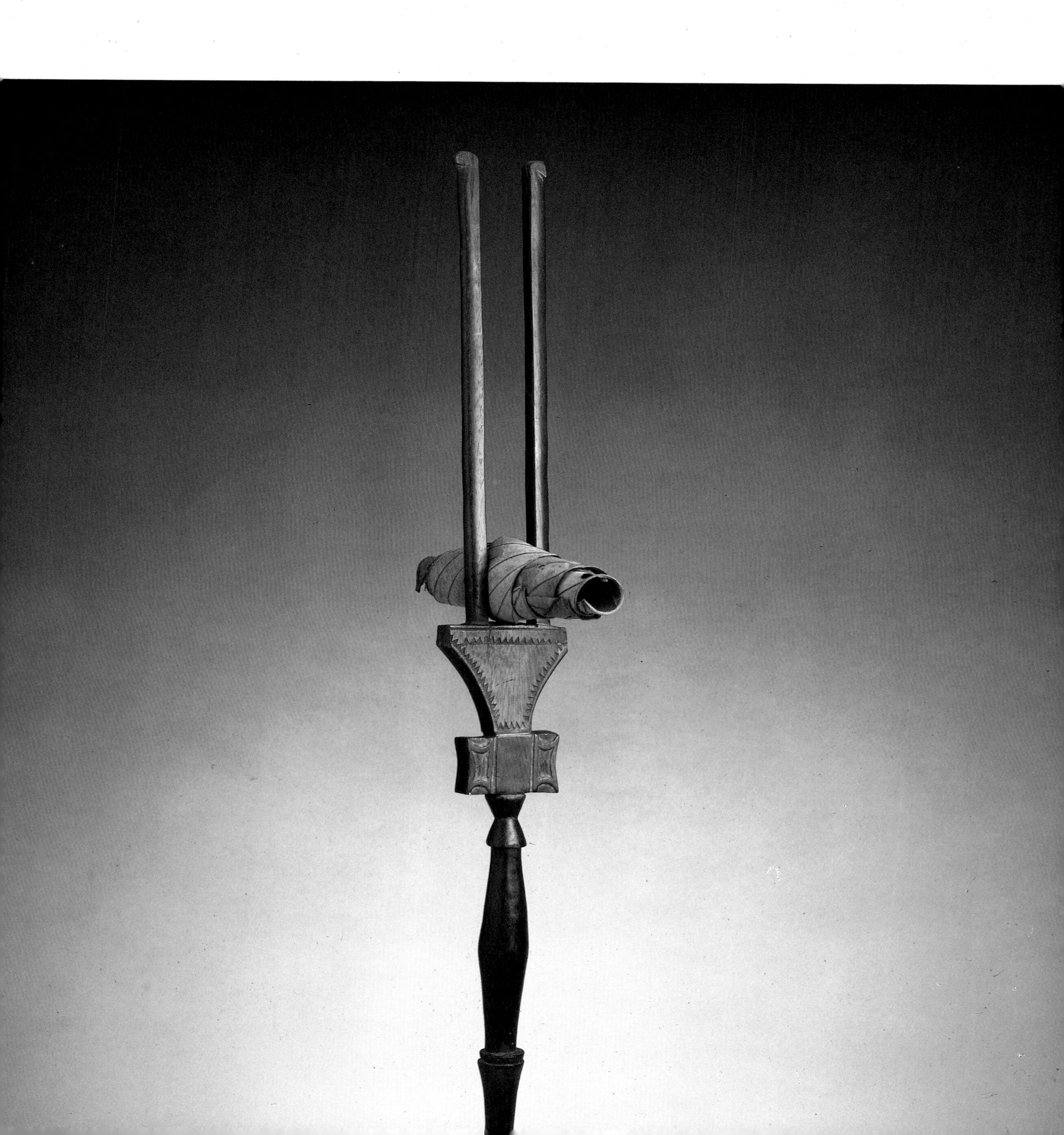

Corona de plumas

Etnia Kofán
Plumas y cabezas ornitomorfas
120 x 35 cm
Código
46-V-6624
Procedencia:
Río San Miguel, Departamento del Putumayo (1946).

Atuendo tikuna

Etnia Tikuna
Corteza de árbol
126 x 86 cm
Código
E-92-VIII-217
Procedencia:
Departamento del
Amazonas (1992).

Máscara utilizada en el baile ritual del muñeco, que representa a la abeja y a diversas variedades de abejorros

Etnia Yukuna
Corteza de árbol manima, balso tallado y pintado, y fibra de saya
107 x 24 cm
Código E-93-III-240
Procedencia: Resguardo Mirití, Apaporis, Departamento del Amazonas.

Sonajero

Etnia Sibundoy
Cuatro tipos de semillas de palma, canutillos de hueso y cuentas de vidrio
Código E-83-V-466
Procedencia: Valle de Sibundoy, Departamento del Putumayo (1983).

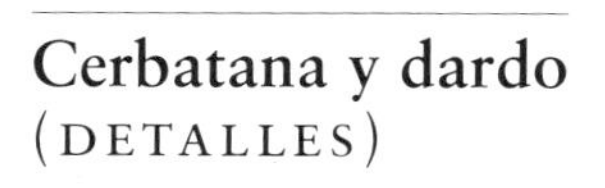

Cerbatana y dardo
(DETALLES)

Etnia Motilones
Madera tallada y perforada.
La mira, en colmillo, está adherida con neme al cuerpo de la cerbatana
216 cm
Códigos 44-VII-6040; 51772-E-1772
Procedencia: Serranía del Perijá, Departamento del Cesar (1944).

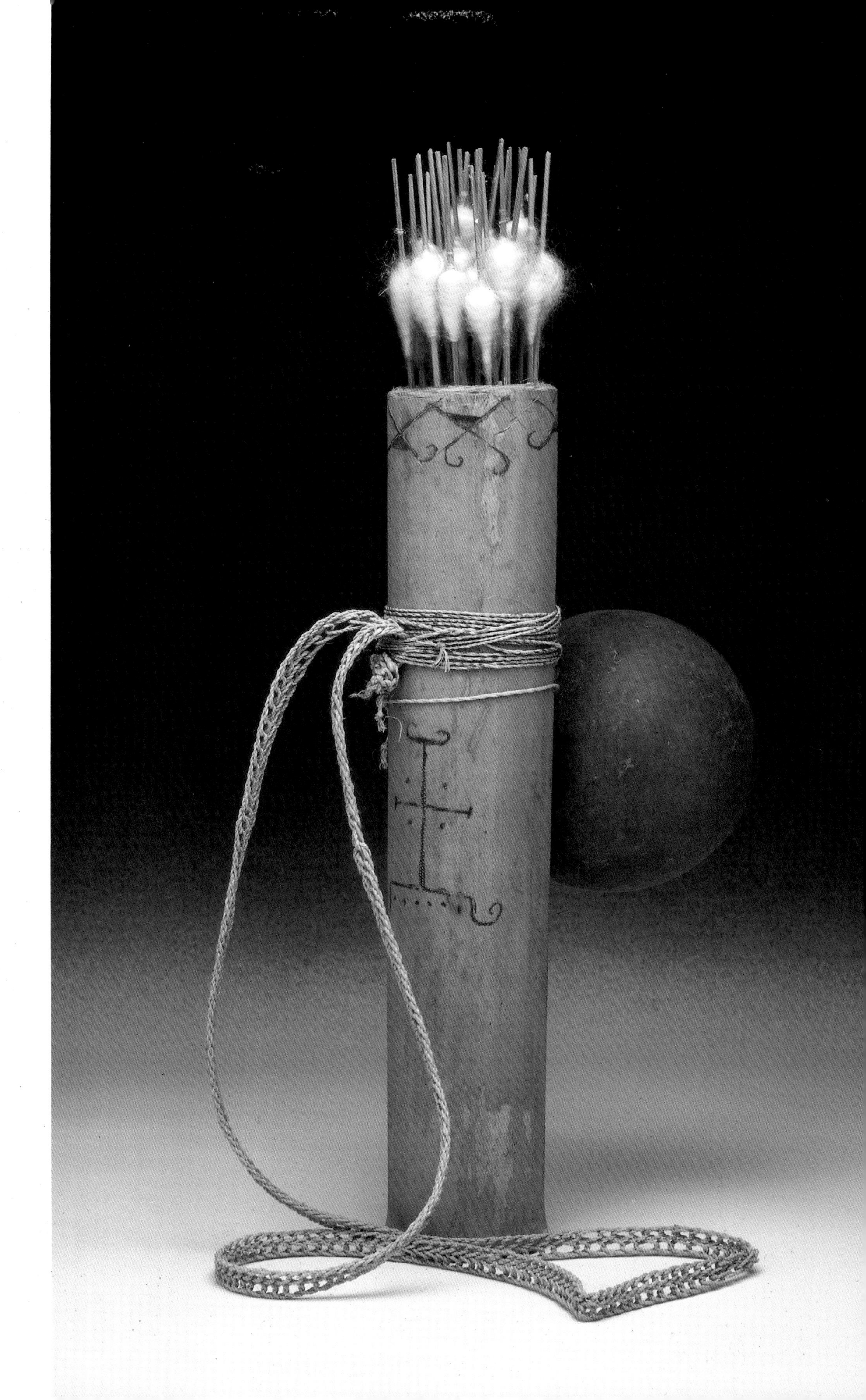

Carcaj utilizado para guardar y transportar 29 dardos, y calabazo para el veneno

Etnia Noanamá
Guadua, lana vegetal, calabazo y cabuya
29 x 12 cm (dardos: 34 cm)
Código E-91-VIII-191
Procedencia: Departamento del Chocó (1991).

Banco del pensamiento

Etnia Piaroa
Madera tallada en una sola pieza de madera
13 x 19.5 x 36 cm
Código 44-VII-4988
Procedencia: Orinoquía colombiana (1944).

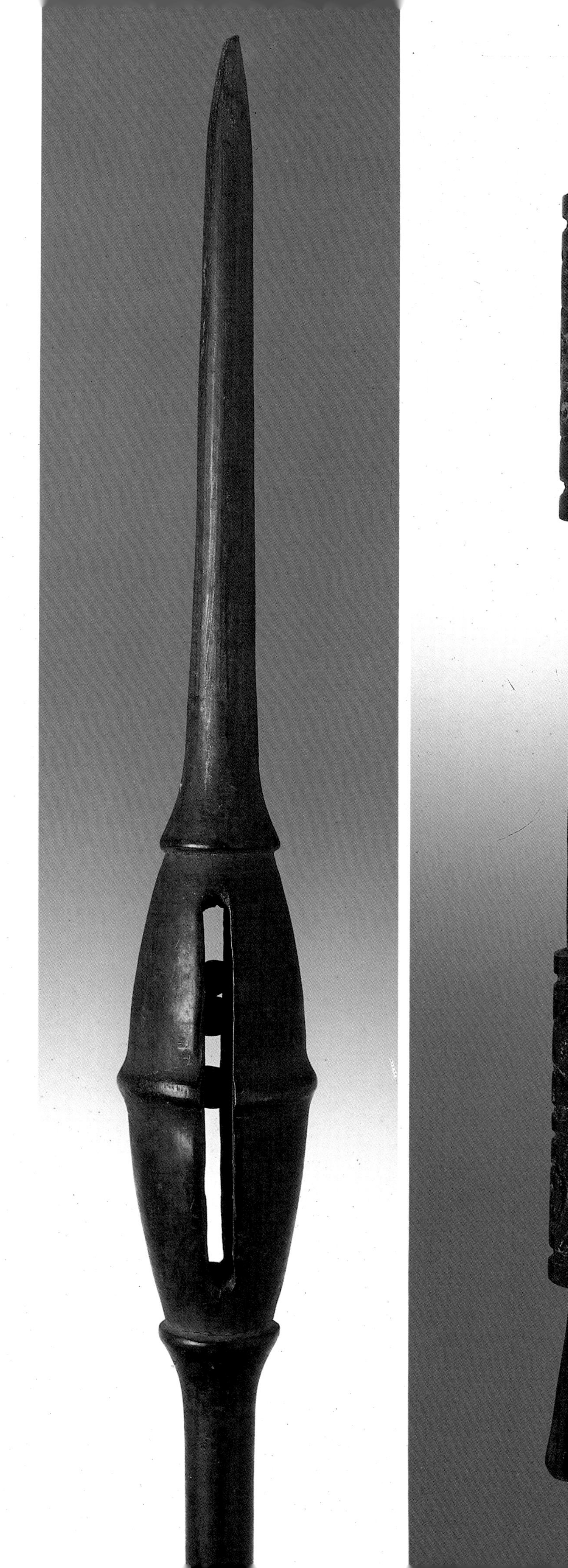

Bastón ceremonial con sonajero o kurubeti

(DETALLES SUPERIOR E INFERIOR)

Etnia Makuna
Madera tallada y labrada
225 cm
Código E-90-IV-42
Procedencia: Departamento del Vaupés.

Inhaladores de yopo

Etnia Guahibo
Huesos de garza unidos con cabuya y brea, rematados con dos semillas perforadas
13.5 x 3.3 cm; 14.2 x 4 cm; 18 x 2.3 cm; 16 x 3.5 cm
Códigos 50-I-51442; E-60-II-125; 50-I-51441; E-83-VI-505
Procedencia: Departamento del Vichada.

Bandeja y mano de moler yopo

Etnia Guahibo
Madera
27.5 x 14.4 x 3 cm
Código 44-VII-4978
Procedencia:
Llanos Orientales (1944).

Estuche con pintaderas para el cuerpo

Etnia Guahibo
Madera, pintura vegetal, hilo y neme
13 x 2.5 cm
Código E-92-VII-214
Procedencia: Llanos Orientales.

Muñecas

Etnia Guahibo
Corteza de árbol
24 x 15 cm; 20.5 x 5 cm; 11.5 x 6 cm
Códigos 44-VI-4859; 50048-E-48;
46-V-50884;
Procedencia: Departamento
del Vichada.

Yalomo o Lui-lui, instrumento ritual de percusión

Etnia Yukuna
Balso decorado con motivos geométricos en pintura blanca y roja
72.5 x 14 cm
Código E-72-I-368
Procedencia: Departamento del Amazonas (1972).

Zampoña

Etnia Guahibo
5 tubos de caña unidos por hilo vegetal
43.5 cm (tubo mayor), 20.5 cm (tubo menor), 8 cm ancho
Código 50572-E-572
Procedencia: Departamento del Vichada.

Zampoña

Etnia Tukano
9 tubos de caña pintados de verde unidos por caña e hilo vegetal
40.7 cm (tubo mayor), 8 cm (tubo menor), 9 cm ancho
Código E-62-V-314
Procedencia: Departamento del Vaupés.

Zampoña

Etnia Tukano Occidental
14 tubos de caña unidos por caña e hilo vegetal18.5 cm (tubo mayor), 6 cm (tubo menor), 19 cm ancho
Código E-83-VI-552
Procedencia: Departamento del Vaupés.

Zampoña

Etnia Yuko
5 tubos de caña unidos por hilo vegetal
10.5 cm (tubo mayor), 9.5 cm (tubo menor), 3.5 cm ancho
Código E-83-VI-555
Procedencia: Serranía del Perijá, Departamento del Cesar.

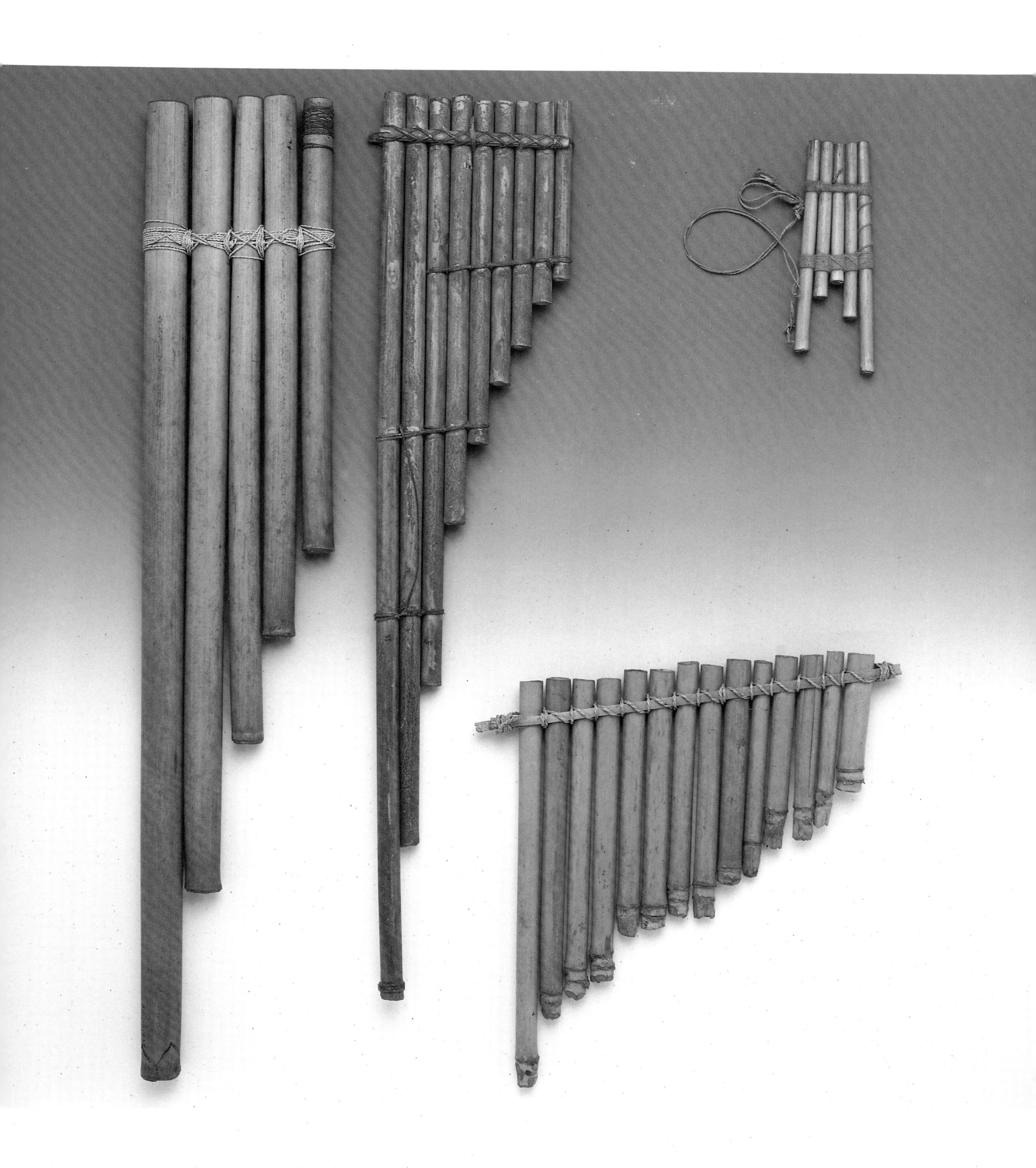

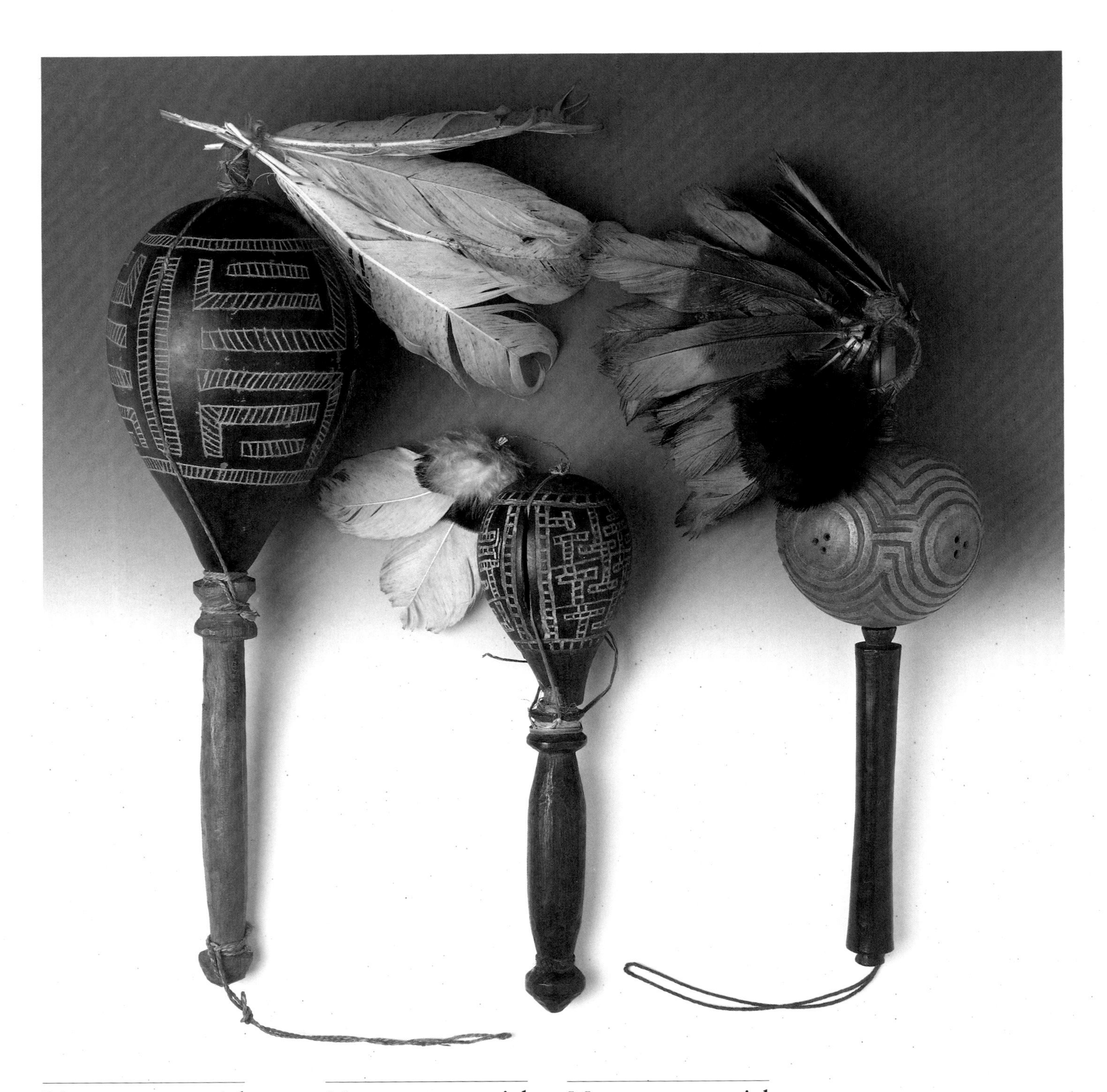

Maraca ceremonial

Etnia Tukano
Calabazo con incisiones, fibra vegetal, madera y plumas blancas
37.5 x 11 cm
Código 46-II-50287
Procedencia: Afluente del Río Papurí, Departamento del Vaupés.

Maraca ceremonial

Etnia Guahibo
Calabazo, madera y plumas verdes
30 x 8 cm
Código 44-VII-5561
Procedencia: Departamento del Vichada.

Maraca ceremonial

Etnia Guahibo
Calabazo con incisiones, madera, fibra vegetal y plumas blancas y negras
24.5 x 8 cm
Código E-83-VI-510
Procedencia: Departamento del Vichada.

Vestido ritual utilizado durante las ceremonias del Yuruparí

Etnia Tukano
Corteza de árbol teñida con tintes minerales y vegetales, fibra vegetal, semillas y algodón
108 x 90 cm
Código E-91-V-177
Procedencia: Río Vaupés, Departamento del Vaupés.

Flecha

Etnia Motilones
Caña, hilo y punta metálica
73 cm
Código 47-II-51292
Procedencia: Serranía del Perijá,
Departamento del Cesar (1947).

Flecha

Etnia Motilones
Caña, madera y punta metálica
81.8 cm
Código 50724-E-724
Procedencia: Serranía del Perijá,
Departamento del Cesar (1947).

Flecha

Etnia Motilones
Caña, fibra vegetal y punta metálica
86 cm
Código 51070-E-1070
Procedencia: Serranía del Perijá,
Departamento del Cesar (1947).

Flecha

Etnia Guahibo
Caña, fibra vegetal, madera tallada
y punta metálica
160 cm
Código 44-VII-5877
Procedencia: Departamento
del Vichada (1944).

Flecha

Etnia Motilones
Caña, madera, hilo y punta de madera tallada
81 cm
Código 46-III-50588
Procedencia: Serranía del Perijá,
Departamento del Cesar (1947).

Flecha

Etnia Motilones
Caña, fibra vegetal y punta de hueso
125 cm
Código 44-VII-5072
Procedencia: Serranía del Perijá,
Departamento del Cesar (1944).

Flecha

Etnia Motilones
Caña, fibra vegetal y punta de hueso
125 cm
Código 46-III-50531
Procedencia: Serranía del Perijá,
Departamento del Cesar (1946).

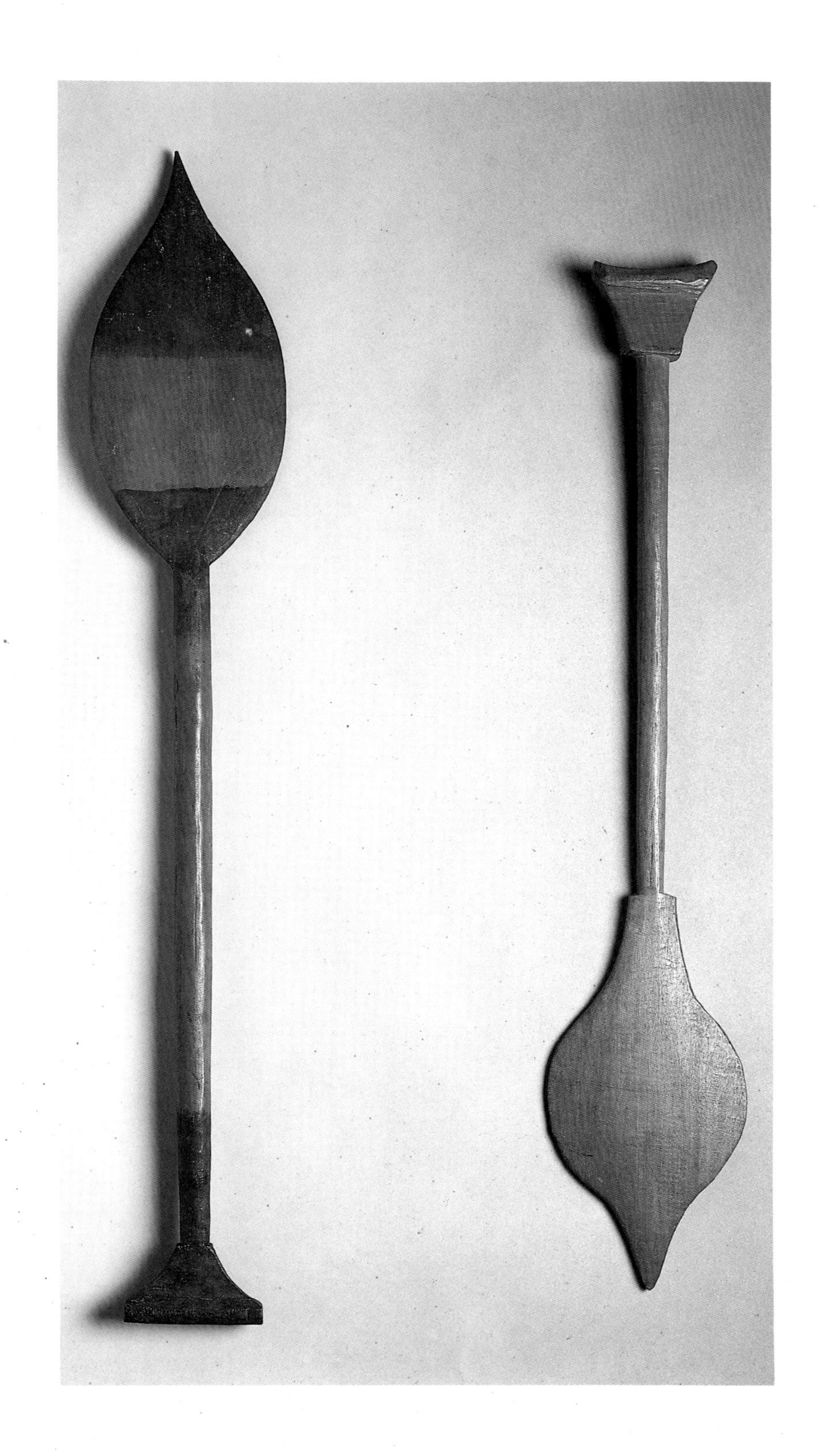

Remos

Etnia Chimila
Madera pintada
74.5 x 12.3 cm;
63.7 x 12.7 cm
Código 47-I-51162;
47-I-5461
Procedencia: Departamento
del Magdalena (1947).

Collar

Etnia Huitoto
Fibra vegetal, 57 colmillos de animal, 34 chaquiras blancas y 39 rojas
Código 47-I-51156
Procedencia: Departamento del Amazonas.

Jais

Etnia Noanamá
Balso tallado y pintado
80 x 11 cm; 78.5 x 10 cm; 31 x 11.5 cm;
50.5 x 17 cm
Códigos E-62-VI-268; E62-IV-269;
E60-I-161; E60-I-157
Procedencia: Río Siguirisua,
Departamento del Chocó.

Hamaca

(DETALLE)

Etnia Wayú
Tejido en fibra de algodón
blanco y azul
375 x 210 cm
Código E83-VI-496
Procedencia: Departamento
de La Guajira.

Balay

Etnia Tukano
Fibra vegetal tejida, pintada y adornada con figuras geométricas, bambú y pita
37 cm diámetro
Código E-62-V-323
Procedencia: Departamento del Vaupés.

Balay

Etnia Guahibo
Fibra vegetal tejida, pintada y adornada con figuras geométricas, bambú y pita
26 cm diámetro
Código 44-VII-4856
Procedencia: Departamento del Vichada.

Balay

Etnia Guahibo
Fibra vegetal tejida, pintada y adornada con figuras geométricas, bambú y pita
40.8 cm diámetro
Código E-83-VI-516
Procedencia: Departamento del Vichada.

Poporo

Etnia Kogui
Calabazo, madera y cal
15.3 x 8.5 cm
Código 144
Procedencia: Sierra Nevada de Santa Marta, Departamento del Magdalena.

Tocado de plumas

Etnia Kofán
Plumas, esparto, caña y algodón
18.5 cm diámetro
Código E-83-VII-610
Procedencia: Departamento del Putumayo.

Corona

Etnia Sibundoy
Lana y fibra vegetal
20 cm (diámetro interior),
28.5 cm (diámetro exterior),
82 cm (chumbe mayor)
Código E-91-IV-174
Procedencia: Departamento
del Putumayo (1991).

Pectoral

Etnia Cuna
Chaquiras, fibra vegetal y 12 monedas metálicas
43 x 11 cms
Código E-83-III-386
Procedencia:
Departamento del Chocó (1983).

Blusa con mola para niña

Etnia Cuna
Tela
45 x 38.5 cm
Código E-83-III-389
Procedencia: Departamento del Chocó (1983).

Telar con tejido

Etnia Paez
Madera y algodón
66 x 40 cm
Código E-83-V-474
Procedencia: Departamento del Cauca (1983).

Historia

Colecciones de

LA HERENCIA DE LA REAL EXPEDICIÓN BOTÁNICA DEL NUEVO REINO DE GRANADA CONFORMÓ LA PRIMERA COLECCIÓN histórica del Museo Nacional de Colombia, la cual incluyó retratos de valor artístico y documental e instrumentos de interés científico. El año de su fundación se integraron también piezas conservadas en los edificios oficiales, tales como retratos de los reyes de España, de todos los virreyes de la Nueva Granada y del pacificador Pablo Morillo.

Durante los últimos años de la guerra de Independencia, se sumaron a la colección los trofeos de batalla remitidos al Museo a partir de 1825, consistentes en banderas de los ejércitos vencidos, medallas y condecoraciones. De este período la pieza de mayor trascendencia es quizás la corona de oro, diamantes y perlas que fue obsequiada al Libertador en el Cuzco (Perú) y que Bolívar entregó al Mariscal Antonio José de Sucre, quien la envió al Congreso de la República como un tributo patriótico. En el mismo año, el héroe de Ayacucho envió al Museo desde Bolivia el manto de una de las mujeres del último emperador de los incas, Atahualpa [1500-1533], "como un monumento de antigüedad, digno del museo de la capital de Colombia; y mucho más digno después que las tropas de nuestra Patria han vengado la sangre de los inocentes Incas, y libertado su antiguo Imperio".

En la década de 1840 se comenzaron a designar espacios del Museo en homenaje a los héroes de la Independencia y de las subsecuentes refriegas civiles. Se creó, por ejemplo, la Sala Juan José Neira, defensor de la capital durante la Guerra de los Supremos. Sucesivos gobiernos expidieron decretos para encargar a los mejores pintores la ejecución de retratos de los prohombres del país, los cuales debían reposar en el Museo Nacional como un legado del Estado.

Desde 1880 hasta 1917, especialmente por las gestiones de dos grandes directores del Museo, Fidel Pombo Rebolledo y Ernesto Restrepo Tirado, la colección de objetos y retratos históricos aumentó a través de la solicitud de donaciones y de algunas adquisiciones. Restrepo Tirado, en particular, emprendió una búsqueda sistemática de las imágenes de Simón Bolívar dispersas en las dependencias oficiales con el ánimo de enriquecer la iconografía del Libertador reunida hasta el momento. El Museo se hizo entonces depositario de armas, uniformes y objetos relacionados con los próceres, generosamente donados por sus familiares o remitidos por funcionarios estatales, como el escritorio de campaña de Bolívar y los cuadros que documentan las batallas de la guerra magna. Fue ésta una época de profunda conciencia sobre el pasado nacional, iniciada por la gran labor del *Papel periódico ilustrado* [6.6.1881-29.5.1888] que reprodujo en sus páginas análisis sobre diversos aspectos de la historia y la cultura colombianas, acompañados de grabados de las más importantes piezas históricas de la colección del Museo. Las celebraciones del centenario de la Independencia, conmemorado en 1910, contribuyeron de manera decisiva a reavivar el interés por la historia de la nación.

A partir de la década de 1950 hasta la fecha, entidades filantrópicas como la Fundación de Beatriz Osorio, han hecho suya la tarea de adquirir para el Museo objetos de mérito histórico y artístico.

En 1959 el ex presidente Eduardo Santos cedió al Museo su espléndida colección personal, conformada por cerca de 181 piezas de invaluable calidad estética y documental, entre las que se destacan obras iconográficas del Libertador. Esta donación es, sin duda, la más grande que ha recibido el Museo en su historia.

Para 1960, el Museo publicó el undécimo catálogo de todas sus colecciones, reeditado y actualizado en 1968. Desde entonces se incluyeron en el registro objetos que habían pertenecido a la Penitenciaría de Cundinamarca, con lo cual el edificio y su historia se incorporaron a las colecciones existentes.

Desde 1989, en el marco del Proyecto de Restauración Integral, se definió un programa de adquisición de piezas históricas orientado a completar diversos períodos carentes de testimonios dentro de la colección, con un gran énfasis en la historia del siglo XX.

Actualmente, las colecciones del Departamento de Historia ascienden a más de 3.500 piezas que se encuentran clasificadas y catalogadas para efectos de investigación dentro de las áreas de Documentos Históricos, Elementos Científicos, Objetos Testimoniales, Numismática y la sección de Historia del Edificio.

Aerolito de Santa Rosa de Viterbo

En 1940 el Instituto Smithsonian lo clasificó como Ataxita.
Compuesto de 93% de hierro, 6% de níquel, 0.7% de cobalto, 0.2% de carbono y 0.1% de fósforo, azufre y cromo
7.70 densidad
411 kilogramos
Reg. 874
Procedencia: Hallado por Cecilia Corredor en Tocavita, cerca de Santa Rosa de Viterbo (Boyacá) en 1810. Según testimonios, ingresó a la atmósfera en la noche del viernes santo de 1810. Los científicos Mariano Eduardo de Rivero y Jean-Baptiste Boussingault lo adquirieron en 1823 cuando se dirigían hacia Bogotá para establecer el Museo Nacional.

Cota de malla del conquistador Gonzalo Jiménez de Quesada

Siglo XVI
Acero dulce argollado, fabricada en Toledo (España)
66.5 x 45 cm
4.72 kilogramos
Reg. 1
Procedencia: Figura en la *Breve guía del Museo Nacional* (1881), con el nº 1.

Manto o acso de una de las mujeres del inca Atahualpa

Siglo XVI
Textil
246 x 167 cm
Reg. 205
Procedencia: Donado por el mariscal Antonio José de Sucre, quien lo remitió desde su cuartel general en La Paz (12.9.1825).

Cañón pequeño que usaron los españoles contra los indígenas en la defensa del fuerte de Santa María la Antigua del Darién

Siglo XVI
Hierro fundido
5.5 cm Calibre
14 cm diámetro
84.5 cm Longitud total
Reg. 8
Procedencia: Figura en el *Catálogo general del Museo de Bogotá* (1917), con el n° 10.

Estandarte Real de Castilla con que Francisco Pizarro entró al Perú en 1533
(DETALLE)

Siglo XVI
Seda, hilos de plata, lienzo
260 x 165 cm
Reg. 98
Procedencia: Donado por el mariscal Antonio José de Sucre, quien lo remitió desde Potosí (19.4.1825).

Cofre de hierro

Siglo XVII
Hierro
65 x 59 x 54 cm
Reg. 651
Procedencia: Figura en el *Catálogo del Museo Nacional* (1960).

Una de las medallas de la serie relativa a la expedición del almirante Vernon: toma de Portobelo [22.11.1739] y sitio de Cartagena [5.1741]

1741
Cobre
3.25 cm diámetro
Anverso: sobre un estrado sostenido por arabesco, el almirante inglés Eduard Vernon de pie, la espada al cinto y la cabeza cubierta por un bicornio, recibe la espada que le entrega Blas de Lezo, rodilla izquierda en tierra, con sombrero. A espaldas de Don Blas hay un navío. Al contorno la inscripción: "THE PRIDE OF SPAIN HUMBLED BY AD. VERNON".
Reverso: Portobelo defendido por tres castillos. Al contorno la inscripción: "HE TOOK PORTOBELLO WITH SIX SHIPS ONLY. NOV. 22. 1739"
Reg. 1309
Procedencia: Donada por Nicolás J. Casas (19.1.1887).

Moneda de emergencia cuya emisión fue ordenada por el Libertador Simón Bolívar. Popularmente denominada «Chipi-chipi»

1819
Plata
Santafé de Bogotá (ceca)
2 reales (valor)
4.95 gramos
20 mm diámetro
Reg. 3471
Anverso: Sobre una moneda Morillera o de Montalvo se acuñó por emergencia la inscripción «[LIBERTAD] AMERICANA. 1819» y la efigie de una india
Reverso: Sobre una moneda Morillera o de Montalvo se acuñó por emergencia la inscripción «[NUEVA GRA]NADA 2R. J. F.» y una granada al centro.
Procedencia: Catalogada en 1987.

Prensa de un sólo golpe en la cual, según es tradición, Antonio Nariño imprimió la traducción de los *Derechos del hombre y del ciudadano* [20.8.1794]

Inventada entre 1781 y 1783 por el francés Laurent Anisson
Madera, hierro y cuero
248 x 80 x 180 cm
Reg. 652
Procedencia: Remitida al Museo por el Ministro de Obras Públicas, C. Rodríguez O. (7.1911).

Alejandro de Humboldt
[Berlín, 14.9.1769 - Berlín, 6.5.1859]

Geografía de las plantas del Ecuador

Ca. 1801
Tinta china y acuarela sobre papel
49.5 x 38.2 cm
Reg. 1204
Procedencia: Figura en el *Catálogo del Museo Nacional* (1960).

Salvador Rizo
[Mompox, Bolívar; 1762 - Bogotá, 12.10.1816]

Abate Antonio José de Cavanilles

Ca. 1800
Óleo sobre tela
84 x 64.4 cm
Reg. 549
Procedencia: Perteneció a la Expedición Botánica. Donado al Museo Nacional por Miguel de Germán-Ribón en la década de 1950.

Pablo Antonio García del Campo
[Bogotá, 1744 - Bogotá, 1814]

José Celestino Mutis

Ca. 1805
Óleo sobre tela
75.4 x 63.3 cm
Reg. 546
Procedencia: Perteneció a la Expedición Botánica.
Figura en la *Breve guía del Museo Nacional* (1881), con el nº 86.

Zapatos de María Francisca Villanova, esposa del virrey Antonio Amar y Borbón

Siglo XIX
Terciopelo verde, seda, cuero, tela, hilos de oro y tacones en pergamino
14 x 9.5 x 20.2 cm
El tacón del zapato izquierdo presenta en tinta ferrogálica la inscripción: «Zapato de la Virreina Amar 1810»
Reg. 155
Procedencia: Figuran en la *Breve guía del Museo Nacional* (1881), con el n° 64.

Chaleco de José Acevedo y Gómez, llamado El Tribuno del Pueblo

Ca. 1810
Seda bordada con hilos de seda, botones en madera forrados en seda y bordados; la espalda está elaborada en tela de algodón
58 x 43.4 cm
Reg. 137
Procedencia: Donado por Adolfo León Gómez. Figura en la *Breve guía del Museo Nacional* (1881), con el n° 37.

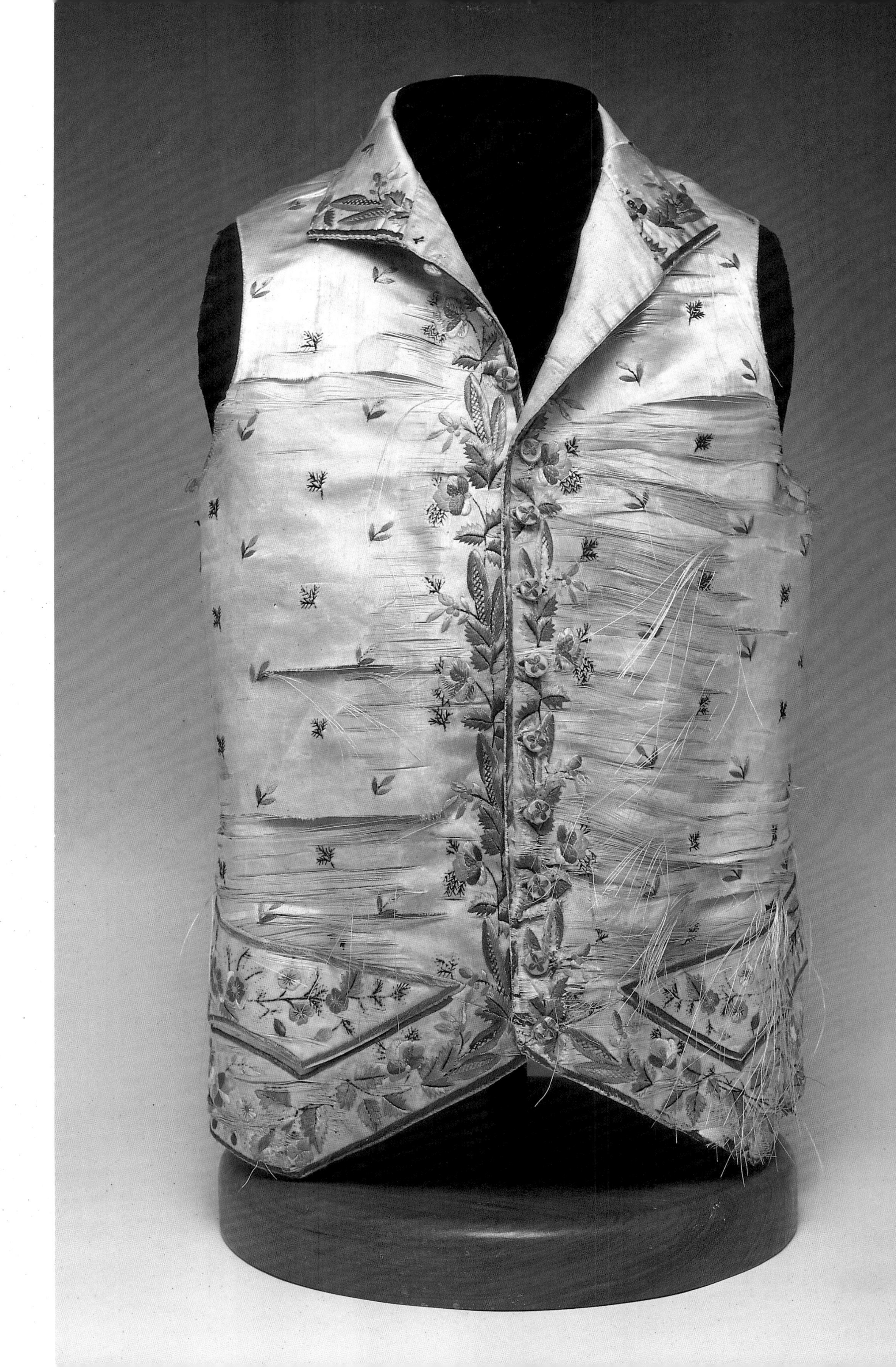

Johann Wolfgang von Goethe (dib.) / Vilquin (grab.)

Croquis de las principales alturas de dos continentes

1813
Grabado en cobre, iluminado, según el dibujo de Johann Wolfgang von Goethe, París
34 x 37 cm
Reg. 1884
Procedencia: Donado por el ex presidente Eduardo Santos (24.1.1959).

Anónimo

Luis Fernando Santos

1820
Óleo sobre madera
29 x 21 cm
Reg. 1888
Procedencia: Perteneció a la colección de Alberto Urdaneta. Donado por el ex presidente Eduardo Santos (24.1.1959).

SIMON BOLIVAR NATURAL DE CARACAS
PRESIDENTE DE LA REPUBLICA DE COLOMB^A

Escritorio de campaña de Simón Bolívar

Siglo XIX
Caoba y cobre
Estilo inglés
96.4 x 52 x 32.5 cm
Reg. 657
Procedencia: Remitido al Museo por el Secretario de Relaciones Exteriores, Vicente Restrepo (6.11.1886).

Pedro José Figueroa
[Bogotá, ca. 1770 - Bogotá, 1838]

Simón Bolívar

Ca. 1820
Óleo sobre tela
95 x 64 cm
Reg. 1805
Procedencia: Realizado por encargo ordenado mediante decreto del gobierno nacional. Donado por el ex presidente Eduardo Santos (24.1.1959).

Fran.co Urdaneta Coronel efectivo de Dragones de
de la Republica de Colombia, Gobernador Comandante
de rentas de la Provincia de

Banda de los Cuerpos de Antioquia, Girardot, Rifles, Cartagena, Alto Magdalena

Ca. 1823
Acuarela sobre papel
21 x 15 cm
Reg. 626
Procedencia: Figura en el *Catálogo general del Museo de Bogotá* (1917), con el nº 297.2.

Anónimo

Francisco Urdaneta

1822
Óleo sobre tela
91 x 72.5 cm
Reg. 344
Procedencia: Perteneció a la colección de Alberto Urdaneta. Un retrato de Francisco Urdaneta figura en la *Nueva guía descriptiva del Museo Nacional de Bogotá* (1886), con el nº 138.

Corona ofrendada en el Cuzco al Libertador

1825
Oro americano y piedras preciosas (47 hojas de laurel en oro, 49 perlas barrocas, 283 diamantes y 10 cuentas de oro)
7.5 cm x 22 cm
762 gramos
Reg. 2552
Procedencia: Obsequiada al Libertador por la municipalidad de Cuzco (21.6.1825), en manifestación de gratitud por haberle dado patria y libertad, alcanzadas con las batallas de Junín (6.8.1824) y Ayacucho (9.12.1824). Bolívar la entregó al Mariscal Antonio José de Sucre, quien a nombre suyo y del ejército libertador del Perú, la envió al Congreso de Colombia como reconocimiento al apoyo ofrecido por este cuerpo legislativo a la Campaña del Sur emprendida por Bolívar (12.9.1825). Destinada al Museo Nacional mediante decreto expedido por el Congreso de la República (13.2.1826).

Anónimo

Policarpa Salavarrieta marcha al suplicio

Ca. 1825
Óleo sobre tela
74.7 x 93.5 cm
Reg. 555
Procedencia: Perteneció a la colección de Alberto Urdaneta. Figura en el *Catálogo general del Museo de Bogotá* (1917), con el nº 70.

Anónimo

La victoria de Junín

(ilustración para el libro del mismo título escrito por J. J. Olmedo)

1826
Grabado en color
13.5 x 10 cm
Reg. 1860
Procedencia: Figura en el *Catálogo general del Museo de Bogotá* (1917), con n° 116 y 213.

José Gil y Castro (dib.);
C. Turner (grab.)

Retrato del Libertador Simón Bolívar

1827
Grabado en mezzatinta sobre papel
77 x 55 cm
Presenta en el borde inferior derecho la firma de Bolívar; en el borde inferior izquierdo «Painted. by. en Lima: Por Gil», en el borde inferior derecho «Engraved by C. Turner. Mezzotinto. Engraver, in ordinary to his Majesty»
Reg. 1811
Procedencia: Donado por el ex presidente Eduardo Santos (24.1.1959). Existe otro grabado similar identificado con el reg. 820.

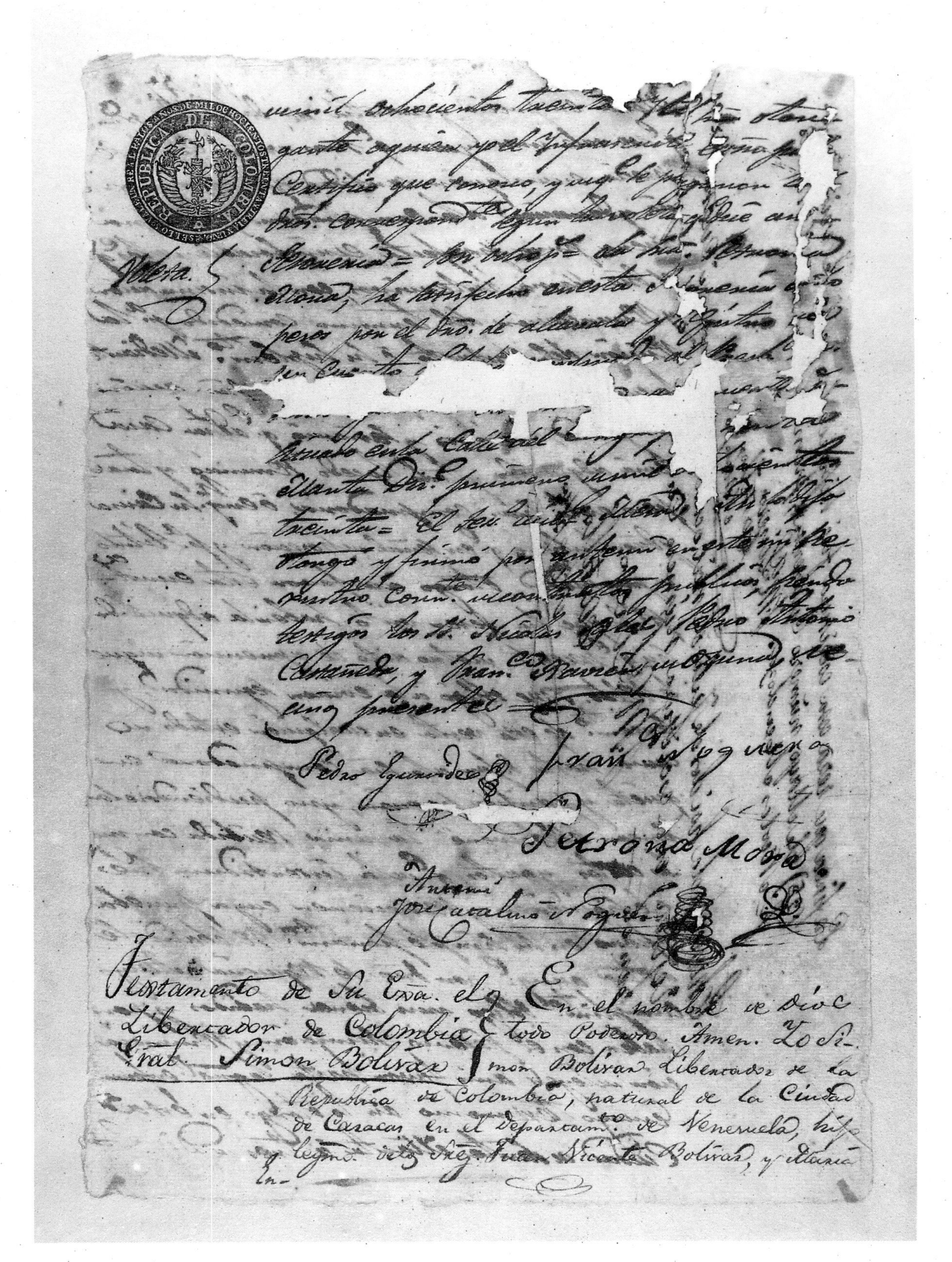
Testamento de Su Exa. el Libertador de Colombia Gral. Simon Bolivar

En el nombre de Dios todo Poderoso. Amen. Yo Si-mon Bolivar Libertador de la República de Colombia, natural de la Ciudad de Caracas en el Departamto. de Venezuela, hijo legmo. de los Sres. Juan Vicente Bolivar, y Maria Con-

Testamento original del Libertador Simón Bolívar

10.12.1830
Tinta sobre papel
4 hojas manuscritas por ambas caras
30 x 20 cm (cada hoja)
Reg. 2563
Procedencia: Se conservaba en una notaría de Santa Marta, de dónde desapareció. Quien lo sustrajo lo vendió al gobierno venezolano. El presidente Marcos Pérez Jiménez lo devolvió al gobierno colombiano, que lo depositó en un banco bajo la custodia de la Sociedad Bolivariana. Esta institución lo donó al Museo Nacional (24.6.1960).

q. como mi ultima y deliberada voluntad, ó en aquella via y forma q.e mas
halla lugar en Dro. En cuyo testimonio
asi lo otorgo en esta Hacienda San
Pedro Alejandrino de la comprencion de
la Ciudad de Santa Marta a diez de
Diciembre de mil ochocientos treinta. Y
Su Exelencia el otorgante a quien yo
el Infrascrito Escribano Publico del Nu-
mero certifico que conosco, y de que
al parecer esta en su entero y cabal
juicio, memoria y entendimiento natural, asi lo dijo, otorgo y firmo p.r ante
mi en la Casa de su habitacion, y en el
de mi Registro corr.te de Contratos publi-
cos siendo testigos los S.S. Gral. Mariano
Montilla, Gral. José M.a Carreño, Coronel Belford Hinton Wilson, Coronel José
de la Cruz Paredes, Coronel Joaquin de
Mier, primer Comandante Juan Glen, y
D.r Manuel Perez Recuero, presentes =
testado = los lugares = no v.e

Simon Bolivar

Ante mi
Jose Catalino Noguera
Escno. pco.

Bandera del 1er. Batallón de la Milicia Auxiliar

Ca. 1830
Seda pintada a mano
154 x 154 cm
Presenta tres franjas: en la superior, en letras doradas, la inscripción «PROVINCIA DE BOGOTÁ»; en la franja central el escudo y la inscripción «REPÚBLICA DE COLOMBIA», en la franja inferior «BT DE LA MILICIA AUCILIAR DIOS CON NOSOTROS DEPTO. DE CUNDIN»
Reg. 108
Procedencia: Figura en la *Breve guía del Museo Nacional* (1881), con el nº 14.

José María Espinosa Prieto
[Bogotá, 1.10.1796 - Bogotá, 24.2.1883]

Acción del Castillo de Maracaibo

Ca. 1840
Óleo sobre tela
87 x 124 cm
Reg. 560
Procedencia: Adquirido por el gobierno nacional. Figura en la *Guía de la primera exposición anual de la Escuela de Bellas Artes de Colombia* (1886), con el nº 769, como del gobierno nacional sin especificar la entidad. Figura en el *Catálogo general del Museo de Bogotá* (1917), con el nº 156, como de la Academia de Historia. Fue trasladado de la Academia de Historia al Museo Nacional.

Uniforme de parada del general Santander

Ca. 1831
Compuesto de casaca en paño azul oscuro con pechera, cuello y bocamangas en paño rojo, bordado en hilo de oro y botones dorados con el escudo y la leyenda «REPÚBLICA DE LA NUEVA GRANADA», mide 110 x 56 cm. Pantalones en paño rojo bordados en hilo de oro, miden 128 x 65 cm. Tahalí en trencilla roja bordada en oro, con borlas doradas. Sombrero napoleónico con plumas blancas y penacho de plumas con los colores de la bandera colombiana, presenta un botón con la leyenda «República de Colombia».
Reg. 134
Procedencia: Donado por Rafael Martínez Briceño, descendiente del general Santander. Figura en el *Catálogo general del Museo de Bogotá* (1917), con el nº 375.

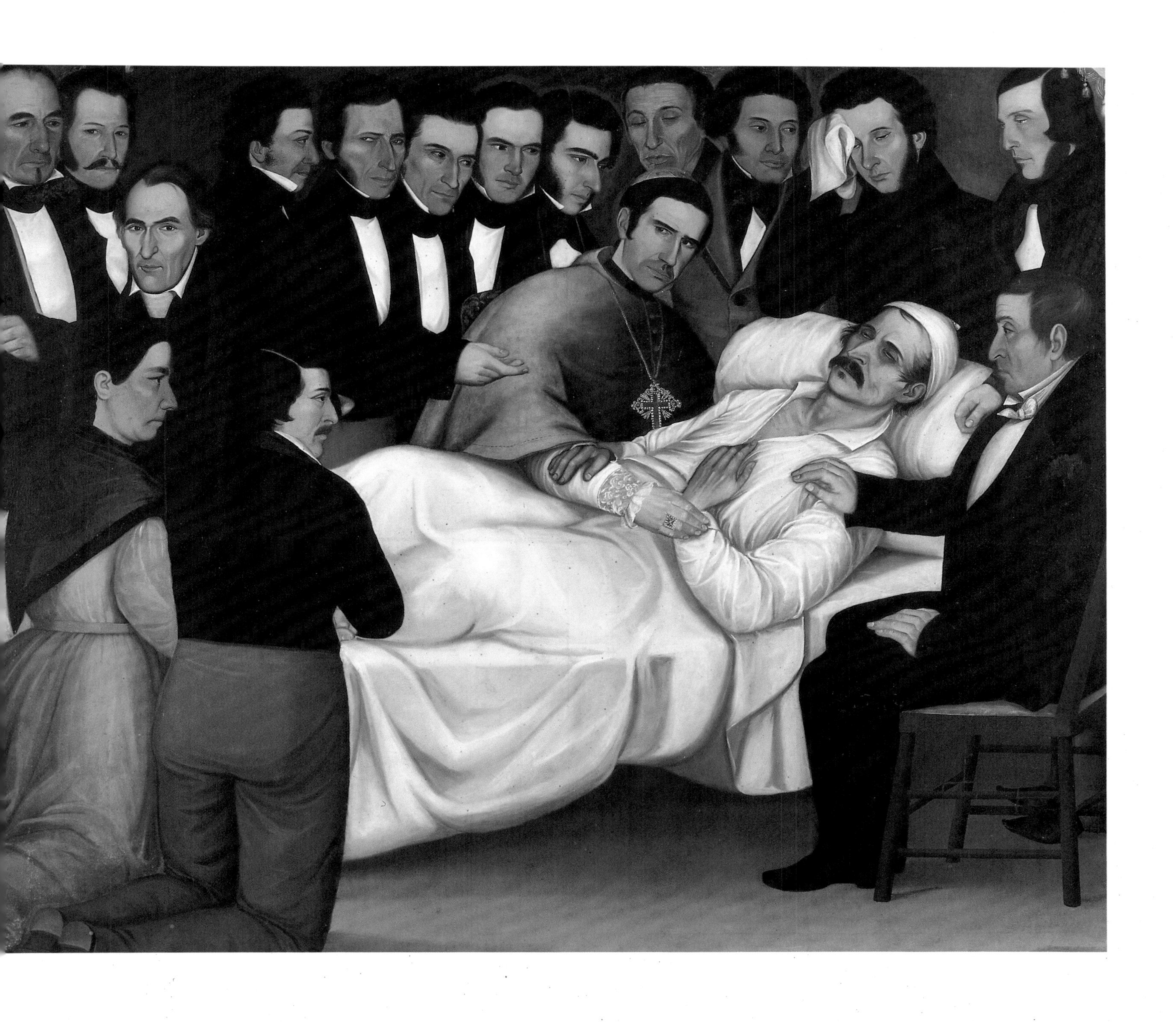

Luis García Hevia
[Bogotá, 19.8.1816 - Bogotá, 31.3.1887]

Muerte del general Santander

1841
Óleo sobre tela
163.5 x 205 cm
Reg. 553
Procedencia: Perteneció a Josefa Briceño Santander y a sus hermanas quienes lo prestaron al Museo Nacional (12.7.1911), junto con el uniforme del general, para la exposición conmemorativa del 20 de Julio de 1911. Figura en el *Catálogo general del Museo de Bogotá* (1917), con el nº 129.

José María Espinosa Prieto
[Bogotá, 1.10.1796 - Bogotá, 24.2.1883]

Batalla del Río Palo

Ca. 1850
Óleo sobre tela
81 x 121 cm
Reg. 3423
Procedencia: Adquirido por el gobierno nacional durante la segunda presidencia de Manuel Murillo Toro (1872/1874). Figura en la *Guía de la primera exposición anual de la Escuela de Bellas Artes de Colombia* (1886), con el nº 773, como del gobierno nacional sin especificar la entidad. Figura en el *Catálogo general del Museo de Bogotá* (1917), con el nº 126, como propiedad de la Academia de Historia. Hacia 1960 la obra se extravió, pero fue recuperada en 1972 por el Banco de Bogotá, quien la donó al Museo Nacional (4.7.1990).

Pietro Tenerani
[Torano, Carrara, Italia; 1789 - Roma, 1869]

Simón Bolívar

Ca. 1850
Bronce
62 x 22 x 80 cm
Reg. 3794
Procedencia: Donado por el Banco Popular (23.5.1997).

Anónimo
Realizado a partir de un dibujo del artista viajero danés Fritz Georg Melbye Elsinor [Dinamarca, 1826 - Shangai, China, 1896]

José Antonio Páez

Ca. 1850
Óleo sobre tela
87 x 57.5 cm
Reg. 550
Procedencia: Donado por el ex presidente Eduardo Santos (16.8.1948).

L. P.

Cofre que perteneció a Rufino Cuervo Barreto

Ca. 1850
Oro de 18 kilates con incrustación de diamantes, un zafiro y un rubí
2.4 x 10.3 x 6.5 x 1.4 cm
Reg. 3678
Procedencia: Adquirido por la Fundación Beatriz Osorio con destino al Museo Nacional (22.11.1995).

José Gabriel Tatis Ahumada
[Sabanalarga, Bolívar; 1813 - Bogotá, 10.9.1884]

Ensayos de dibujo: 68. Luis José López, 69. Ángel M. Céspedes, 70. Pedro Martín Consuegra, 71. Rafael Núñez, 72. Gaspar Díaz, 73. Felipe Cordero, 74. Hilarión Camargo

1853
Acuarela sobre papel
38 x 24 cm
Reg. 643
Procedencia: Donada por el general Guillermo E. Martín (21.3.1912).

68 Luis López. — 69 Angel M. Céspedes. — 70 Pedro Martir Consuegra. — 71 Rafael Nuñez. — 72 G. [Gaspr] Díaz. — 73 Felipe Cordero. — 74 H. Camargo.

Anónimo

La familia de José Hilario López

Ca. 1853
Óleo sobre tela
189 x 121 cm
Reg. 3541
Procedencia: Legado de Amelia Manrique Lorenzana (6.1991).

José María Espinosa Prieto
[Bogotá, 1.10.1796 - Bogotá, 24.2.1883]

José María Melo

1854
Acuarela y lápiz graso sobre papel
57.1 x 44.2 cm
Reg. 351
Procedencia: Donada por el ex presidente Eduardo Santos (24.1.1959).

Manuel Antonio Cataño Vinasco
[Riosucio, Caldas; ca. 1840 - Riosucio, Caldas; 1922]

Julio Arboleda Pombo

1861
Óleo sobre tela
32.5 x 27 cm
Reg. 519
Procedencia: El autor lo regaló a Clemente Díaz, quien a su vez lo obsequió a Marco Fidel Suárez con ocasión de un viaje del presidente a la población de Riosucio (Caldas). A su regreso a Bogotá, el presidente lo donó al Museo Nacional (1.1921).

José María Espinosa Prieto
[Bogotá, 1.10.1796 - Bogotá, 24.2.1883]

José Ignacio de Márquez

Ca. 1870/80
Acuarela y tinta china sobre papel blanco
15.5 x 9.7 cm
Reg. 839
Procedencia: Adquirido al presbítero
Daniel Caro (1950).

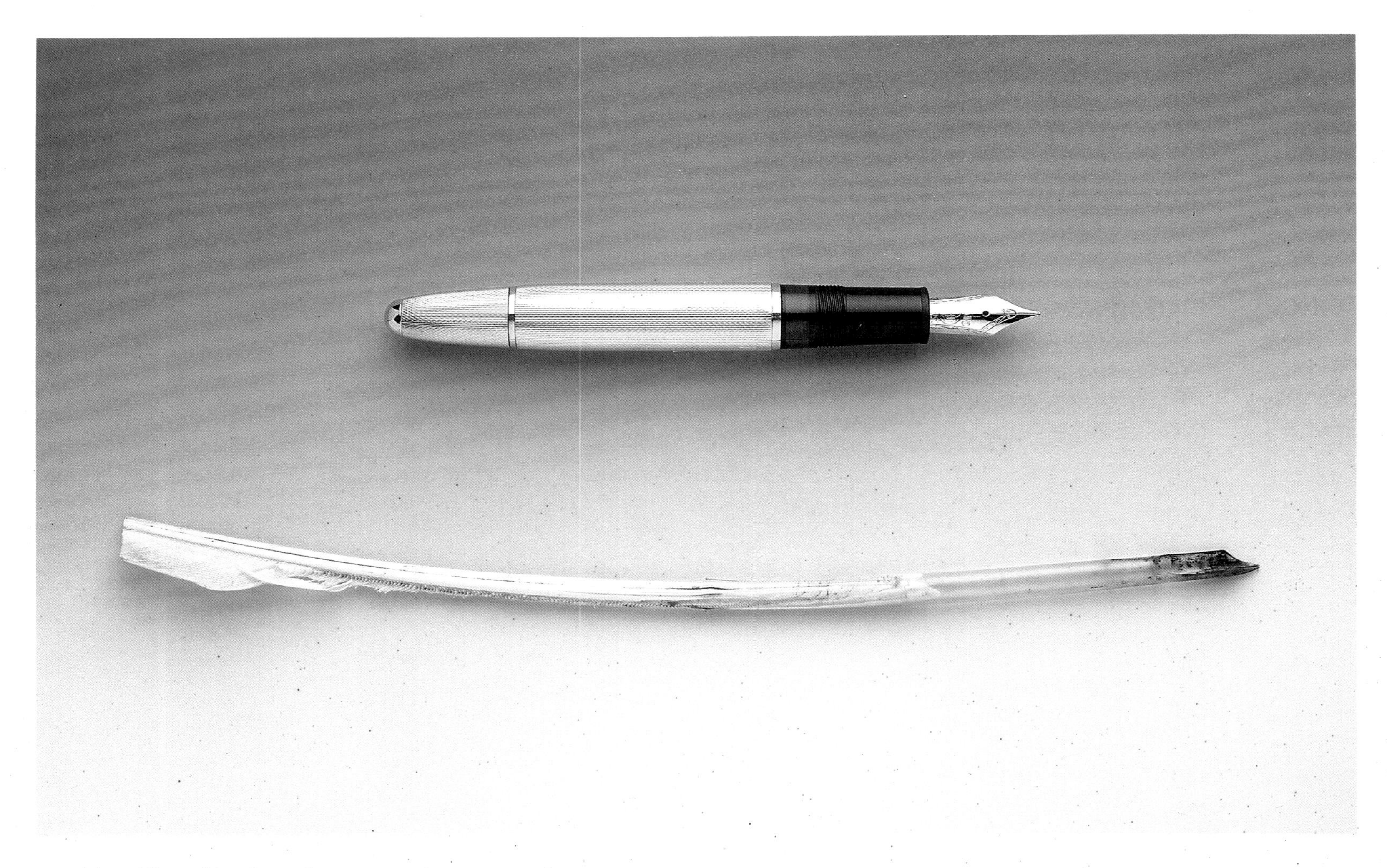

Mont Blanc (Hamburgo)

Estilográfica con la cual Álvaro Gómez Hurtado, Antonio Navarro Wolf y Horacio Serpa Uribe, presidentes de la Asamblea Nacional Constituyente, firmaron la Constitución Política de Colombia el 5 de julio de 1991

Ca. 1990
Resina de nácar, aplicaciones en placa de oro de 23.4 kilates, plumín en oro de 14 kilates con incrustaciones de platino
Modelo Meisterstück, fabricación alemana
15 cm
Reg. 3814
Procedencia: Adquirida para la firma de la Constitución de 1991 por Álvaro Gómez Hurtado, quien luego del acto protocolario la entregó en custodia a Francisco Ortega Acosta, gerente general del Banco de la República. Trasladada del Banco de la República al Museo Nacional (16.7.1997).

Pluma que perteneció a Miguel Antonio Caro, con la cual los 20 miembros del Consejo Nacional de Delegatarios firmaron la Constitución Política de Colombia el 5 de agosto de 1886

Siglo XIX
Pluma natural
21.8 x 1.3 cm
Reg. 1940
Procedencia: Figura en el *Catálogo del Museo Nacional* (1960).

Escritorio que perteneció a Rafael Núñez

Siglo XIX
Cedro taponado
160 x 128 x 178 cm
Reg. 655
Procedencia: Remitido al Museo por el Secretario General de la Presidencia (siglo XIX).

Francisco de Paula Álvarez
[Sotaquirá, Boyacá; 1870 - Socotá, Boyacá; 1934]

Bolívar y Santander con el ejército libertador después del triunfo de Boyacá

Ca. 1910
Óleo sobre tela
64 x 113.7 cm
Reg. 566
Procedencia: Figura en el *Catálogo del Museo Nacional* (1960).

Mascarilla del general Rafael Uribe Uribe

15.10.1914
Yeso
31.5 x 24 cm
Reg. 936
Procedencia: Figura en el *Catálogo del Museo Nacional* (1960).

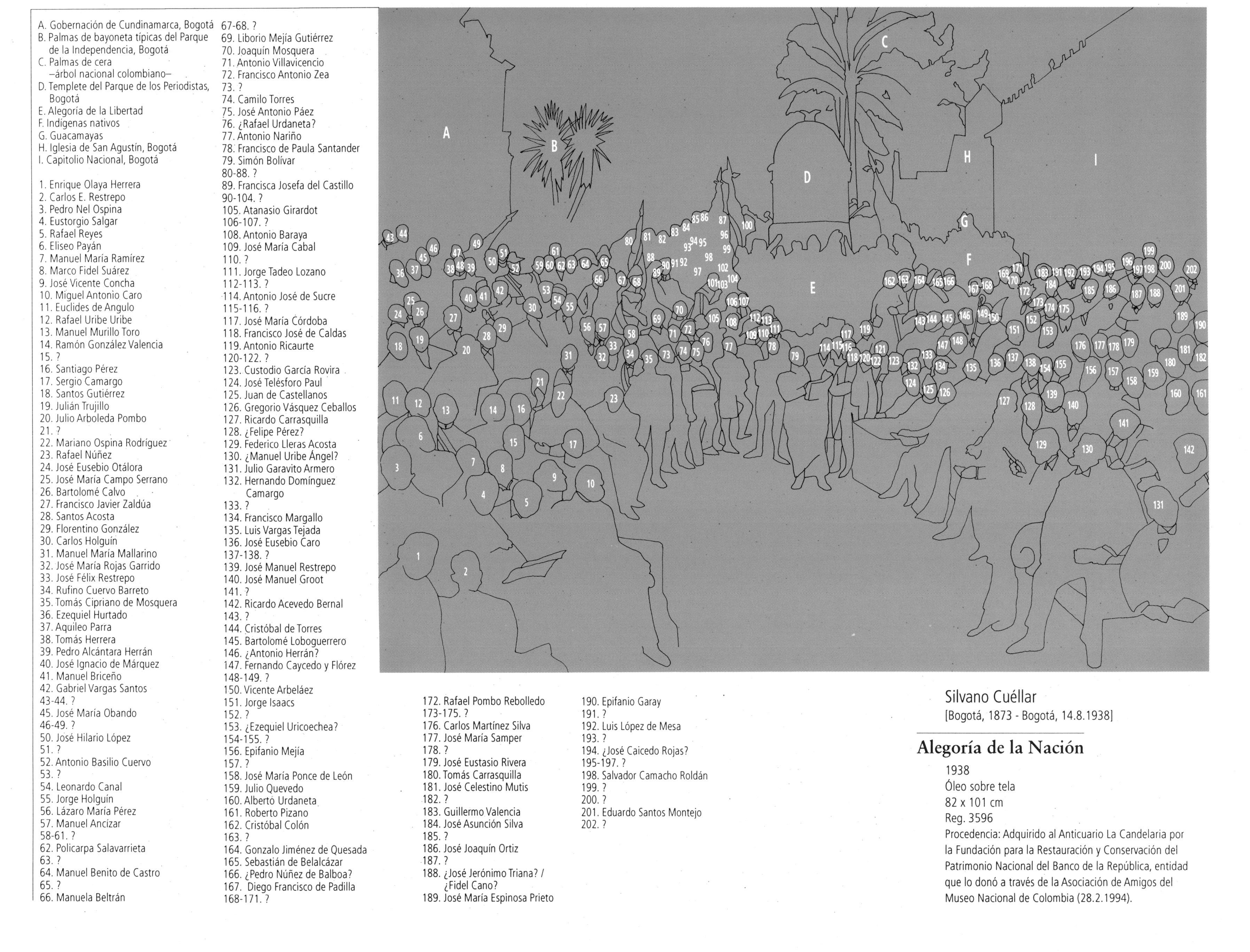

A. Gobernación de Cundinamarca, Bogotá
B. Palmas de bayoneta típicas del Parque de la Independencia, Bogotá
C. Palmas de cera –árbol nacional colombiano–
D. Templete del Parque de los Periodistas, Bogotá
E. Alegoría de la Libertad
F. Indígenas nativos
G. Guacamayas
H. Iglesia de San Agustín, Bogotá
I. Capitolio Nacional, Bogotá

1. Enrique Olaya Herrera
2. Carlos E. Restrepo
3. Pedro Nel Ospina
4. Eustorgio Salgar
5. Rafael Reyes
6. Eliseo Payán
7. Manuel María Ramírez
8. Marco Fidel Suárez
9. José Vicente Concha
10. Miguel Antonio Caro
11. Euclides de Angulo
12. Rafael Uribe Uribe
13. Manuel Murillo Toro
14. Ramón González Valencia
15. ?
16. Santiago Pérez
17. Sergio Camargo
18. Santos Gutiérrez
19. Julián Trujillo
20. Julio Arboleda Pombo
21. ?
22. Mariano Ospina Rodríguez
23. Rafael Núñez
24. José Eusebio Otálora
25. José María Campo Serrano
26. Bartolomé Calvo
27. Francisco Javier Zaldúa
28. Santos Acosta
29. Florentino González
30. Carlos Holguín
31. Manuel María Mallarino
32. José María Rojas Garrido
33. José Félix Restrepo
34. Rufino Cuervo Barreto
35. Tomás Cipriano de Mosquera
36. Ezequiel Hurtado
37. Aquileo Parra
38. Tomás Herrera
39. Pedro Alcántara Herrán
40. José Ignacio de Márquez
41. Manuel Briceño
42. Gabriel Vargas Santos
43-44. ?
45. José María Obando
46-49. ?
50. José Hilario López
51. ?
52. Antonio Basilio Cuervo
53. ?
54. Leonardo Canal
55. Jorge Holguín
56. Lázaro María Pérez
57. Manuel Ancízar
58-61. ?
62. Policarpa Salavarrieta
63. ?
64. Manuel Benito de Castro
65. ?
66. Manuela Beltrán
67-68. ?
69. Liborio Mejía Gutiérrez
70. Joaquín Mosquera
71. Antonio Villavicencio
72. Francisco Antonio Zea
73. ?
74. Camilo Torres
75. José Antonio Páez
76. ¿Rafael Urdaneta?
77. Antonio Nariño
78. Francisco de Paula Santander
79. Simón Bolívar
80-88. ?
89. Francisca Josefa del Castillo
90-104. ?
105. Atanasio Girardot
106-107. ?
108. Antonio Baraya
109. José María Cabal
110. ?
111. Jorge Tadeo Lozano
112-113. ?
114. Antonio José de Sucre
115-116. ?
117. José María Córdoba
118. Francisco José de Caldas
119. Antonio Ricaurte
120-122. ?
123. Custodio García Rovira
124. José Telésforo Paul
125. Juan de Castellanos
126. Gregorio Vásquez Ceballos
127. Ricardo Carrasquilla
128. ¿Felipe Pérez?
129. Federico Lleras Acosta
130. ¿Manuel Uribe Ángel?
131. Julio Garavito Armero
132. Hernando Domínguez Camargo
133. ?
134. Francisco Margallo
135. Luis Vargas Tejada
136. José Eusebio Caro
137-138. ?
139. José Manuel Restrepo
140. José Manuel Groot
141. ?
142. Ricardo Acevedo Bernal
143. ?
144. Cristóbal de Torres
145. Bartolomé Loboguerrero
146. ¿Antonio Herrán?
147. Fernando Caycedo y Flórez
148-149. ?
150. Vicente Arbeláez
151. Jorge Isaacs
152. ?
153. ¿Ezequiel Uricoechea?
154-155. ?
156. Epifanio Mejía
157. ?
158. José María Ponce de León
159. Julio Quevedo
160. Alberto Urdaneta
161. Roberto Pizano
162. Cristóbal Colón
163. ?
164. Gonzalo Jiménez de Quesada
165. Sebastián de Belalcázar
166. ¿Pedro Núñez de Balboa?
167. Diego Francisco de Padilla
168-171. ?
172. Rafael Pombo Rebolledo
173-175. ?
176. Carlos Martínez Silva
177. José María Samper
178. ?
179. José Eustasio Rivera
180. Tomás Carrasquilla
181. José Celestino Mutis
182. ?
183. Guillermo Valencia
184. José Asunción Silva
185. ?
186. José Joaquín Ortiz
187. ?
188. ¿José Jerónimo Triana? / ¿Fidel Cano?
189. José María Espinosa Prieto
190. Epifanio Garay
191. ?
192. Luis López de Mesa
193. ?
194. ¿José Caicedo Rojas?
195-197. ?
198. Salvador Camacho Roldán
199. ?
200. ?
201. Eduardo Santos Montejo
202. ?

Silvano Cuéllar
[Bogotá, 1873 - Bogotá, 14.8.1938]

Alegoría de la Nación

1938
Óleo sobre tela
82 x 101 cm
Reg. 3596
Procedencia: Adquirido al Anticuario La Candelaria por la Fundación para la Restauración y Conservación del Patrimonio Nacional del Banco de la República, entidad que lo donó a través de la Asociación de Amigos del Museo Nacional de Colombia (28.2.1994).

Arte

Colecciones de

LA PRIMERA MENCIÓN A OBRAS DE VALOR ARTÍSTICO EN LAS COLECCIONES DEL MUSEO NACIONAL DE COLOMBIA aparece en las crónicas de un viajero del siglo XIX, el francés Auguste Le Moyne, quien visitó el Museo en 1829 y registró en sus memorias de viaje la existencia de algunas pinturas, de especial interés artístico, realizadas por Gregorio Vásquez Ceballos.

En 1880, el científico Fidel Pombo se vinculó al Museo y se encargó, por vez primera, no sólo de clarificar su inventario e imprimirlo, sino de hacer la reseña de cuantos objetos poseía. En su *Breve guía del Museo Nacional*, Pombo contabilizó 77 pinturas de caballete. Luego, durante su gestión como director entre 1884 y 1901, otorgó un especial énfasis a las colecciones de arte. Hasta entonces, esta sección del Museo poseía, además de las pinturas de Vásquez Ceballos, algunas obras de otros artistas de la Colonia, obtenidas durante los períodos de gobiernos radicales por expropiación de bienes de la Iglesia.

Para 1890, personalidades como Soledad Acosta de Samper habían donado obras tan valiosas como una *Escena campestre* (reg. 2239) –pintura flamenca del siglo XVI de Marten I van Cleef–, y un *Paisaje* del siglo de oro holandés (reg. 2234). El interesante legado de Ángel Cuervo, remitido desde París en 1896 y recibido en 1899, consolidó esta nueva etapa. Estaba conformado por obras tan variadas como un icono ruso, pinturas románticas, obras de artistas contemporáneos del movimiento impresionista y de latinoamericanos reconocidos en París –como Arturo Michelena–. Este legado fue decisivo pues incentivó a otros particulares a seguir el ejemplo.

Pronto las colecciones de arte del Museo se convirtieron en lugar de primera referencia para los estudiantes universitarios. Por este motivo, en 1903, el director de la Escuela de Bellas Artes convenció al Ministerio de Educación sobre la conveniencia de crear un museo en la Escuela con los fondos del Museo Nacional, de donde le fueron entregadas más de 100 obras.

Afortunadamente en 1948, al instalarse en su sede definitiva, las colecciones del Museo de la Escuela de Bellas Artes regresaron enriquecidas al Museo Nacional, pues las discusiones sobre arte, polarizadas entre los localistas y los extranjerizantes, entre los academicistas y los modernos, entre los indigenistas y los esteticistas, habían propiciado la adquisición de obras de todas las tendencias. Así, dos exposiciones francesas realizadas en 1922 y 1928, permitieron la llegada a Colombia de obras de arte notables. La primera escandalizó al país; para demostrar cuál era el verdadero arte, grupos rivales organizaron la segunda con tradicionales galeristas parisinos. Este enfrentamiento redundó en la compra de dos valiosas pinturas de Eugène Carrière: su extraordinario *Autorretrato* (reg. 2243) y *Cabeza de mujer* (reg. 2242).

A partir de 1948, la directora Teresa Cuervo Borda orientó sus gestiones a organizar salas para la exhibición de artistas nacionales e internacionales. Convenció al gobierno de adquirir obras de figuras del siglo XIX como Ramón Torres Méndez y José María Espinosa; y promovió, a través de exposiciones temporales, la donación de pinturas de paisajistas de comienzos de siglo como Ricardo Borrero Álvarez, Fídolo Alfonso González Camargo, Roberto Páramo, Jesús María Zamora y Ricardo Gómez Campuzano; y enriqueció la pinacoteca con un vasto número de óleos del pintor Andrés de Santa María.

En octubre de 1960 Fernando Botero hizo su primera donación al Museo Nacional: el óleo *Lección de guitarra*. Años después, el 29 de agosto de 1985, entregó oficialmente "al pueblo colombiano por intermedio del Museo Nacional", 2 acuarelas y 13 pinturas más. Dichas obras, sumadas a otros 8 óleos de diversa procedencia, constituyen la mayor colección pública de pinturas del reconocido artista antioqueño.

En los años recientes se destacan, entre otras, la donación de 6 pinturas del artista Manuel Hernández; 12 obras del alemán Guillermo Wiedemann cedidas por su viuda en 1990; un importante conjunto de la colección del crítico de arte Juan Friede, adquirido en 1991; varios objetos artísticos legados por los esposos norteamericanos John Saul Wetton y Effie Rose Holabird; un Cristo de la escuela del pintor español Bartolomé Esteban Murillo recibido en 1996, y una significativa colección reunida por el Banco Popular y donada al Museo en 1997.

La Sección de Arte Internacional, conformada desde comienzos de este siglo y concebida como colección de referencia o de contexto para el arte nacional, se conserva en reserva por falta de espacios para su exhibición. Sin embargo, el proyecto de ampliación del Museo permitirá ofrecer al público, en forma permanente, una aproximación didáctica a la historia del arte universal, desde el arte egipcio –representado en los relieves de la cámara este de la tumba de Thery del siglo VI a.C., hallada en Gizeh en 1906 y donada por el Museo de Brooklyn en 1948– hasta el arte internacional del siglo XX.

Actualmente, las colecciones del Departamento de Arte ascienden a cerca de 3.000 piezas que se encuentran clasificadas y catalogadas para efectos de investigación dentro de las áreas de Pintura de Caballete, Escultura, Artes Gráficas, Artes Decorativas y Arquitectura.

Gregorio Vásquez Ceballos
[Bogotá, 9.5.1638 - Bogotá, 1711]

El campamento de los madianitas

Ca. 1700
Óleo sobre tela
257 x 168 cm
Reg. 3620
Procedencia: Figura en la *Breve guía del Museo Nacional* (1881), con el n° 175. Trasladado al Museo de Arte Colonial (ca. 1942). Trasladado nuevamente al Museo Nacional el 7 de febrero de 1979, donde permaneció en comodato hasta el 4 de mayo de 1995, fecha en que se legalizó el traspaso.

A debocion del thesorero Dn Melch

José María Espinosa Prieto
[Bogotá, 1.10.1796 - Bogotá, 24.2.1883]

José María Espinosa retratado por él mismo el 1º de agosto de 1834 en Bogotá

1.8.1834
Miniatura sobre marfil
6.5 x 5.3 cm (oval)
Reg. 1935
Procedencia: Donada por el ex presidente Eduardo Santos (24.1.1959).

Ramón Torres Méndez
[Bogotá, 29.8.1809 - Bogotá, 16.12.1885]

Carboneros de Choachí

Ca. 1849
Acuarela sobre papel
28 x 20.2 cm
Reg. 639
Procedencia: Figura en el *Catálogo del Museo Nacional* (1960).

José María
Espinosa Prieto
[Bogotá, 1.10.1796 -
Bogotá, 24.2.1883]

Rodríguez y Mariaca

1850
Acuarela y tinta china
sobre papel blanco
21.4 x 15.6 cm
Reg. 1924
Procedencia: Donada por
el ex presidente Eduardo
Santos (24.1.1959).

Epifanio Julián
Garay Caicedo
[Bogotá, 9.1.1849 -
Villeta, Cundinamarca;
8.9.1903]

Por las velas, el pan y el chocolate

Ca. 1870
Óleo sobre cartón
41 x 31 cm
Reg. 3113
Procedencia: Perteneció a
Agustín Garay. Figura en
la *Guía de la primera
exposición anual de la
Escuela de Bellas Artes
de Colombia* (1886), con
el n° 650. Perteneció a
José Manuel Goenaga.
Adquirido a Carlos
Jiménez Goenaga por la
Fundación Beatriz Osorio
con destino al Museo
Nacional (1976).

107

Pantaleón Mendoza
[Bogotá, ca. 1855 - Sibaté, Cundinamarca; ca. 1910]

Catalina Mendoza

1880
Óleo sobre tela
92 x 72 cm
Reg. 2110
Procedencia: Adquirido a Andrés Sandino Barriga por el Ministerio de Educación con destino al Museo Nacional (7.7.1954).

Ricardo Moros Urbina
[Nemocón, Cundinamarca; 29.3.1865 - Bogotá, 21.6.1942]

El cazador

1890
Óleo sobre tela
52.7 x 34.3
Reg. 3802
Procedencia: Figura en el *Catálogo general del Museo de Bogotá* (1917), con el nº 26. Adquirido a Gerardo Azcárate por la Fundación Beatriz Osorio con destino al Museo Nacional (30.3.1997).

Generoso Jaspe
[Cartagena, 1846 -
Cartagena, ca. 1938]

Vista panorámica de Cartagena

1894
Óleo sobre tela
69 x 320 cm
Reg. 562
Procedencia: La ciudad de Cartagena lo regaló al presidente Marco Fidel Suárez (29.1.1919), quien lo donó al Museo Nacional (4.2.1922). Se halla en comodato en la Casa de Nariño desde 1983.

Luis Felipe Uscátegui
[Bogotá, 30.9.1887 -
¿Bogotá?, 1951]

Retrato de mujer

Ca. 1900
Miniatura sobre marfil
5 x 5 cm
Reg. 3803
Procedencia: Adquirida a
Gerardo Azcárate por la
Fundación Beatriz Osorio con
destino al Museo Nacional
(30.3.1997).

Ricardo Acevedo Bernal
[Bogotá, 4.5.1867 - Roma, 7.4.1930]

La niña de la columna

1907
Óleo sobre tela
41 x 30.5 cm
Reg. 2124
Procedencia: Donado por Gabriel Giraldo Jaramillo (10.8.1954).

Ricardo Borrero Álvarez
[Hacienda Piedrapintada en Aipe, cerca de Gigante, Huila; 24.8.1874 - Bogotá, 5.1931]

Cercanías del Tequendama

Ca. 1910
Óleo sobre tela
51 x 40.5 cm
Reg. 2380
Procedencia: Legado de Ernestina de Borrero Álvarez, viuda del autor (1968).

Andrés de Santa María
[Bogotá, 16.12.1860 - Bruselas, 29.4.1945]

Regreso del mercado

1914
Óleo sobre tela
292 x 246 cm
Reg. 2117
Procedencia: Figura en el *Catálogo del Museo de la Escuela de Bellas Artes de Bogotá* (1934). Miguel Díaz Vargas, en calidad de director de Museos y Exposiciones, hizo trasladar esta obra de la Escuela de Bellas Artes al Museo Nacional (1947). Se halla en comodato en la Casa de Nariño desde el 26 de noviembre de 1982.

Fídolo Alfonso González Camargo
[Bogotá, 20.9.1883 - Sibaté, Cundinamarca; 23.8.1941]

Niña campesina

Ca. 1917
Óleo sobre cartón
23 x 17.5 cm
Reg. 2153
Procedencia: Figura en el *Catálogo del Museo de la Escuela de Bellas Artes de Bogotá* (1934). Figura en el inventario del Museo (6.4.1951).

Andrés de Santa María
[Bogotá, 16.12.1860 - Bruselas, 29.4.1945]

La anunciación

1922/34
Óleo sobre tela
131 x 172.2 cm
Reg. 2115
Procedencia: Adquirido a Isabel Santa María de Pigault de Beaupré a través de la Universidad Nacional con destino al Museo Nacional (20.8.1948).

Luis Alberto Acuña
[Suaita, Santander; 12.5.1904 - Tunja, 24.3.1993]

Bañista

Ca. 1927/49
Terracota
20.4 x 7.3 x 5.6 cm
Reg. 2315
Procedencia: Hacia 1951 ya formaba parte de las colecciones. Figura en el *Catálogo del Museo Nacional* (1960).

Marco Tobón Mejía
[Santa Rosa de Osos, Antioquia; 27.10.1876 - París, 15.2.1933]

Murciélago

Ca. 1930/36
Relieve en bronce
8.5 x 12 cm
Reg. 2331
Procedencia: Donado por Francine de Tobón, esposa del artista (ca. 1948).

Rómulo Rozo
[Chiquinquirá, Boyacá; 13.1.1899 - Mérida, Yucatán, México; 17.8.1964]

Mestiza

1936
Bronce
35.5 x 19.5 x 23 cm
Reg. 3165
Procedencia: Trasladado de la Dirección del Instituto Colombiano de Cultura (12.5.1981).

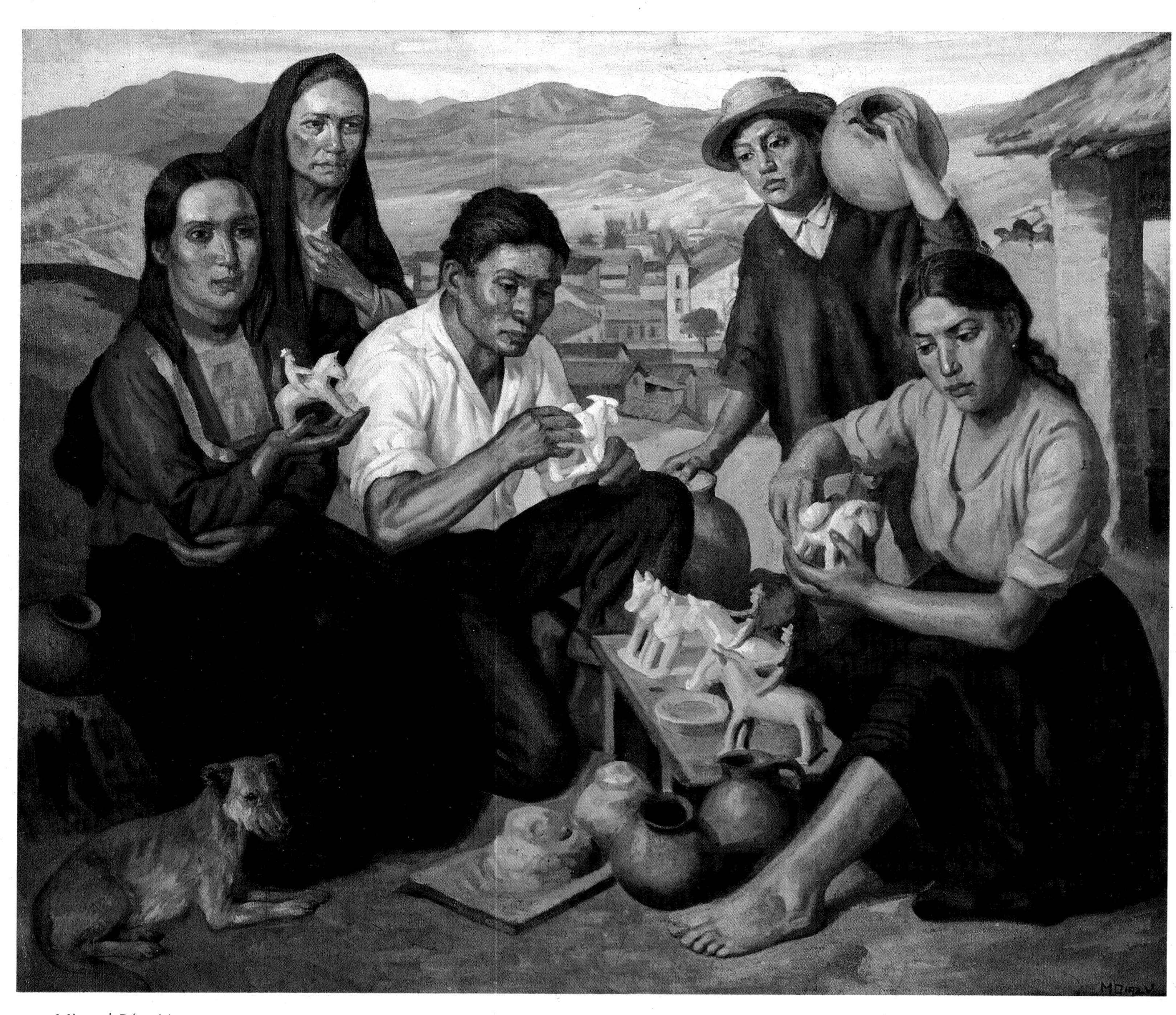

Miguel Díaz Vargas
[Bogotá, 29.9.1886 -
Bogotá, 5.1956]

Ceramistas de Ráquira

Ca. 1940
Óleo sobre tela
102 x 120 cm
Reg. 2725
Procedencia: Adquirido a María de la Zerda de Díaz, viuda del artista, por el Instituto Colombiano de Cultura con destino al Museo Nacional (27.4.1971).

Alejandro Obregón Roses
[Barcelona, España; 4.6.1920 - Cartagena, 11.4.1992]

Máscaras

1952
Óleo sobre tela
210 x 107 cm
Reg. 2219
Procedencia: Adquirido al autor (6.11.1956).

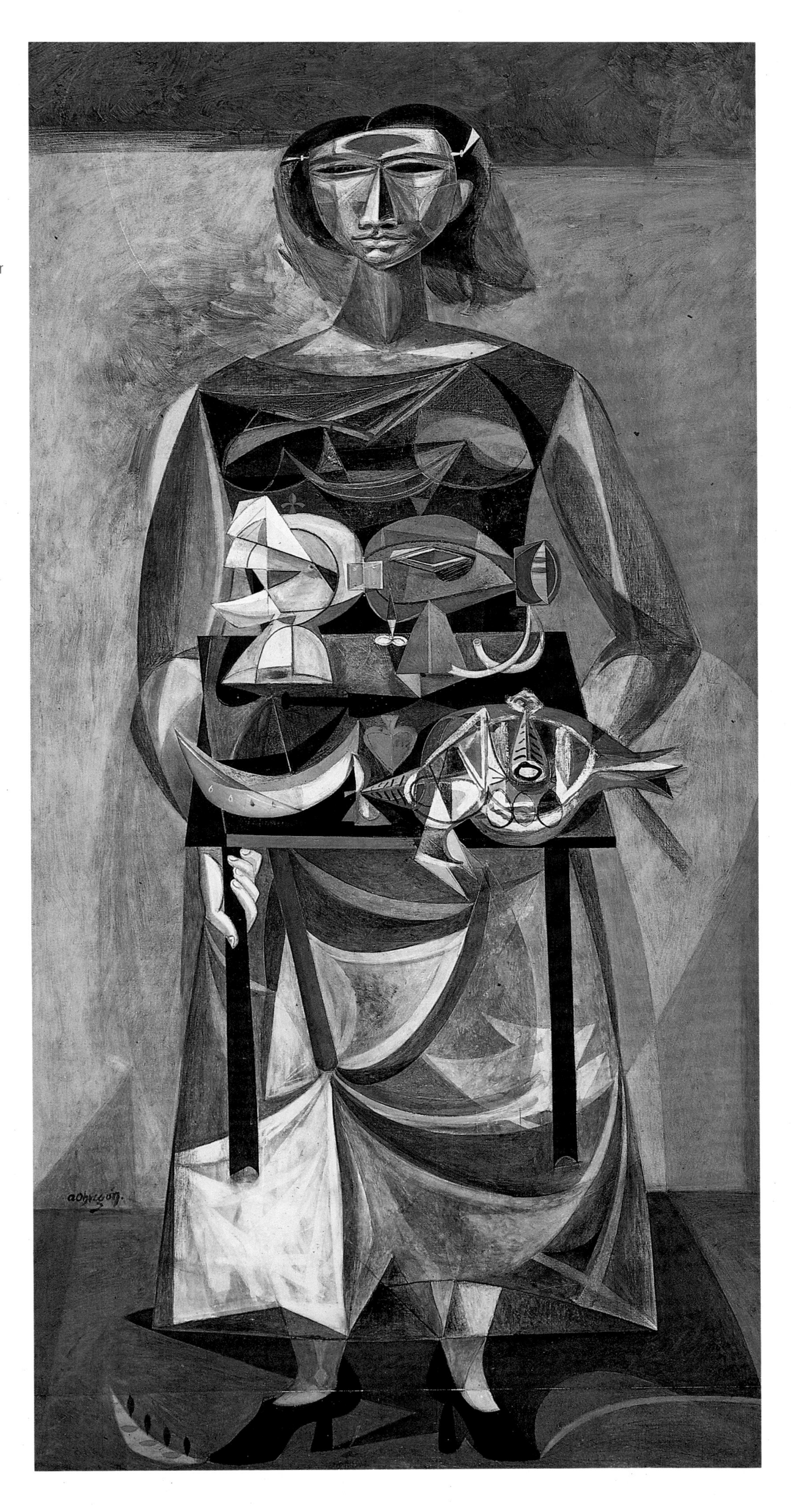

Guillermo Wiedemann
[Munich, Alemania; 8.5.1905 - Kay Biscayne, Estados Unidos; 25.1.1969]

Sin título

1954
Óleo sobre tela
100 x 70 cm
Reg. 3454
Procedencia: Donado por Cristina de Wiedemann, esposa del autor (24.5.1990).

Fernando Botero
[Medellín, 19.4.1932]

Muchacha

Ca. 1954
Óleo sobre madera
105 x 85 cm
Reg. 3740
Procedencia: Donado por el Banco Popular (27.1.1997).

Fernando Botero
[Medellín, 19.4.1932]

El niño de Vallecas

1959
Óleo sobre tela
127 x 114.5 cm
Reg. 3194
Procedencia: Donado por el autor
(14.2.1984).

Alejandro Obregón Roses
[Barcelona, España; 4.6.1920 - Cartagena, 11.4.1992]

Aleta milenaria

Ca. 1962
Óleo sobre tela
113.4 x 133.5 cm
Reg. 3787
Procedencia: Donado por el Banco Popular (23.5.1997).

Noé León
[Ocaña, Norte de Santander; 1907 -
Barranquilla, 1978]

El Colombia

1968
Óleo sobre tela
85.8 x 106 cm
Reg. 3789
Procedencia: Donado por el Banco Popular
(23.5.1997).

Edgar Negret
[Popayán, 1920]

Abstracción

Ca. 1970
Aluminio pintado en rojo
103 x 99 x 118 cm
Reg. 3791
Procedencia: Donado por el Banco Popular (20.11.1996).

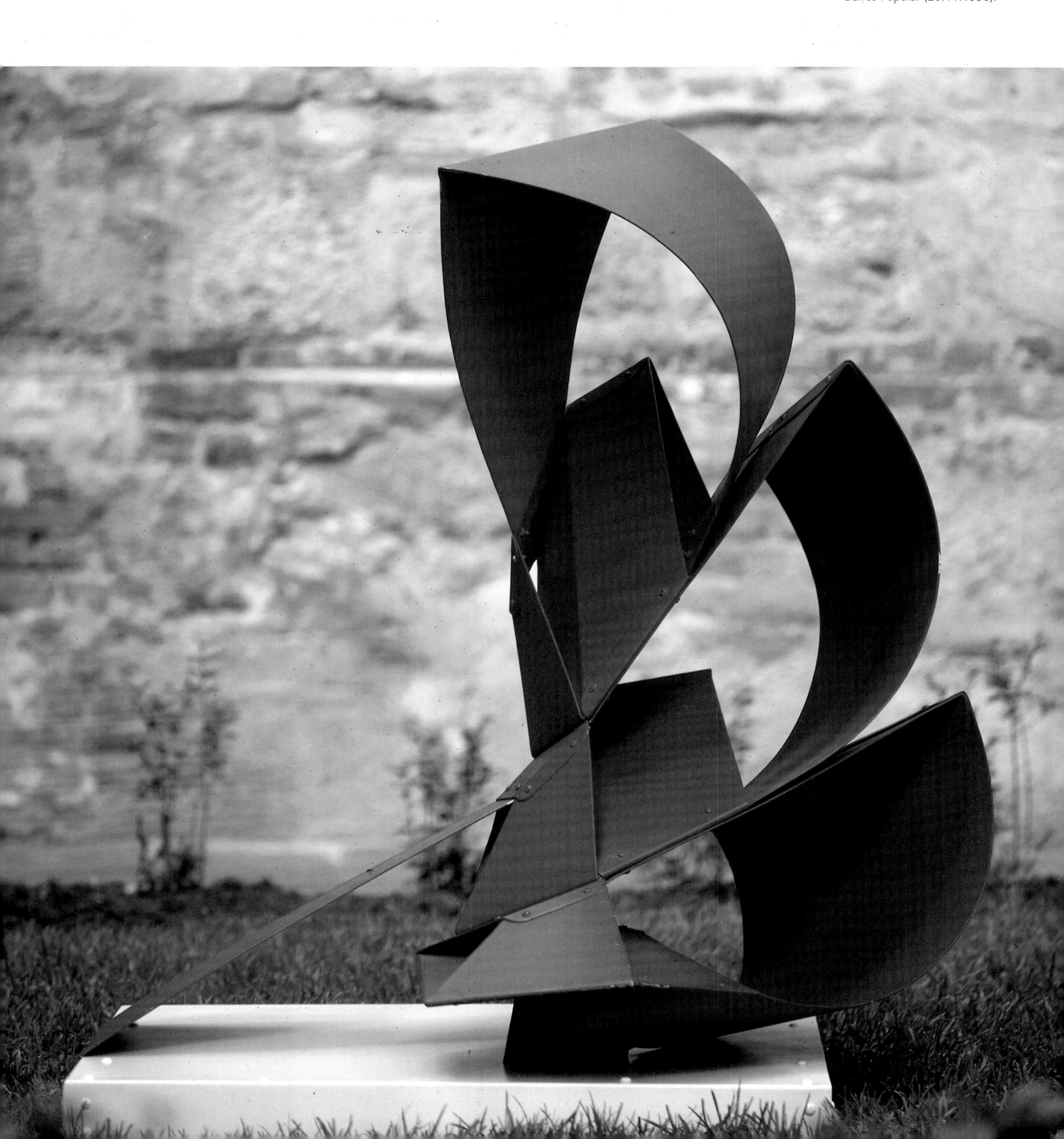

Fernando Botero
[Medellín, 19.4.1932]

Naranja

1977
Óleo sobre tela
224.5 x 195 cm
Reg. 3190
Procedencia: Donado por el autor (14.2.1984).

Eduardo Ramírez Villamizar
[Pamplona, Santander del Norte; 8.1922]

Cascada

1984
Hierro ensamblado, soldado y oxidado
226.5 x 203 x 73 cm
Reg. 3714
Procedencia: Donado por el autor (1996).

Juan Antonio Roda
[Valencia, España; 19.11.1921]

Tierra de nadie I

1992
Óleo sobre tela
153.3 x 203.7 cm
Reg. 3609
Procedencia: Donado por el autor (19.4.1994).

ARTE INTERNACIONAL

Anónimo [Estilo Italeoto]

Ánfora

Siglo IV a.C.
Cerámica roja pintada con barniz negro y pinceladas blancas en relieve
47 cm alto x 29.6 cm diámetro mayor
Reg. 1118
Procedencia: Figura en el *Catálogo del Museo Nacional* (1960).

Marten [Maarten] I van Cleve [Cleef, Cleeffe]
[Amberes, Bélgica; 1527 - ?, 1581]

Escena campesina

1575
Óleo sobre madera
76.5 x 107 cm
Reg. 2239
Procedencia: Perteneció a José María Samper. Figura en la *Guía de la primera exposición anual de la Escuela de Bellas Artes de Colombia* (1886), con el n° 334. Donado al Museo Nacional por Soledad Acosta de Samper. Figura en el inventario de las obras trasladadas del Museo Nacional al Museo de la Escuela de Bellas Artes de Bogotá (1903). Figura en el *Catálogo del Museo de la Escuela de Bellas Artes de Bogotá* (1934). Figura en el inventario del Museo Nacional (6.4.1951).

Francesco Albani
[Bolonia, Italia; 17.5.1578 - Bolonia, Italia; 4.10.1660]

Carro de Anfitrite

Ca. 1600
Óleo sobre cobre
100.5 x 76 cm
Reg. 2236
Procedencia: Perteneció a Gabriel Vengoechea. Figura en la *Nueva guía descriptiva del Museo Nacional de Bogotá* (1889), p. 71, bajo el título «El triunfo de Galatea».

Anónimo [Escuela flamenca]

El príncipe

Ca. 1650
Óleo sobre tela
110 x 66 cm
Reg. 2233
Procedencia: Donado por la Fundación Beatriz Osorio. Figura en el inventario del Museo Nacional (6.4.1951).

Claudio José Vicente Antolínez
[Madrid, 7.11.1635 - Madrid, 30.5.1675]

David y el arpa

Ca. 1670
Óleo sobre tela
121 x 186.5 cm
Reg. 2518
Procedencia: Adquirido en la subasta de la municipalidad de Barcelona (España, 5.11.1930), por el señor Tulio Hernández Naranjo. Adquirido por la Fundación Beatriz Osorio con destino al Museo Nacional (ca. 1959).

Anónimo
[Escuela de
Francisco de
Zurbarán]
[Fuente de Cantos,
Extremadura,
España; 1598 -
Madrid, 27.8.1664]

Arcángel Gamaliel

Ca. 1750
Óleo sobre tela
174 x 101.5 cm
Reg. 2509
Procedencia:
Donado por Camilo
Mutis Daza
(11.10.1951).

Anónimo
[Escuela
quiteña]

Virgen del apocalipsis con ángeles

Ca. 1750
Madera tallada,
encarnada,
policromada y
estofada
52 x 35 x 21 cm
Reg. 3747
Procedencia:
Donada por el
Banco Popular
(27.1.1997).

Antonio Cánova
[¿Trevese?, Italia; 1757 - Venecia, Italia; 1822]

El niño de la mariposa

Ca. 1790
Mármol
27 x 71 x 32.7 cm
Reg. 2310
Procedencia: Donado por la Fundación Beatriz Osorio. Figura en el *Catálogo del Museo Nacional* (1960).

René-François-Auguste Rodin
[París, 12.11.1840 - Meudon, Francia; 17.11.1917]

El hombre de la nariz rota

Ca. 1864
Bronce sobre pedestal en mármol
Fundido por Alexis Rudier
26 x 20.5 cm
Reg. 2299
Procedencia: Adquirido en París por Roberto Pizano para la colección de obras que el presidente Miguel Abadía Méndez ordenó traer con destino al Museo de la Escuela de Bellas Artes (ca. 1927).

Eugène Carrière
[Gournay-sur-Marne, Seine-Saint-Denis; Francia;
29.2.1849 - París, 27.3.1906]

Autorretrato

Ca. 1880
Óleo sobre tela
65.5 x 54.5 cm
Reg. 2243
Procedencia: Adquirido a la Galería Comercial Simonson y Georges Petit de París, durante la exhibición «Primera exposición oficial de pintura francesa en Colombia», que se llevó a cabo en el Círculo de Bellas Artes de Bogotá (1928).

Émile Antoine Bourdelle
[Montauban, Francia; 1861 - Le Vésinet, Francia, 1929]

El soldado Bengoechea

1924
Bronce
98.7 x 48 x 31 cm
Presentan en la base la inscripción «Au poete Hernando. Au soldat Bengoechea»
Reg. 2702
Procedencia: Donado por Jorge Lombana (1971).
El apellido Bengoechea, de origen vasco, había sido castellanizado como Vengoechea durante el siglo XIX por Juan Modesto, abuelo del poeta. A Alfredo y Hernando Bengoechea Valenzuela se debe que el apellido volviera a la ortografía vasca.

Armando Reverón

[Caracas, 10.5.1889 - Caracas, 18.9.1954]

Paisaje

1934

Óleo sobre tela

51.2 x 63 cm

Reg. 2452

Procedencia: Es posible que esta obra haya llegado a Colombia en 1938 con la muestra pictórica venezolana enviada por el Museo de Bellas Artes de Caracas con motivo del IV Centenario de la Fundación de Bogotá. Legado del arquitecto Pablo de la Cruz (1955).

El museo y su público

Las actividades que desarrollan los niños, niñas y jóvenes durante sus visitas al Museo, enriquecen su visión personal y los aproxima al arte y la historia

EL MUSEO, ADEMÁS DE CUMPLIR CON FUNCIONES CURATORIALES, DE INVESTIGACIÓN Y CONSERVACIÓN DE COLECCIONES, ES TAMBIÉN UN espacio de disfrute y aprendizaje. Esta doble característica lo convierte en un lugar abierto, vivo y dispuesto para la comunicación. Al albergar diversidad de objetos significativos, es depositario de un importante patrimonio cultural, parte integrante de nuestra memoria colectiva e identidad nacional.

Pero sería en vano el trabajo de coleccionar, investigar, conservar y exhibir objetos originales, si el ser humano no pudiera animar dichos objetos y establecer con ellos una comunicación sensible.

Es por esta razón que el Museo Nacional de Colombia se inscribe dentro de los más recientes movimientos de trabajo pedagógico y de interacción del público con sus colecciones, por medio de estrategias que hoy desarrollan entidades afines a nivel mundial, y siguiendo los parámetros y propuestas de la Ley General de Educación, expedida en febrero de 1994, en la cual se mencionan los museos como entidades que deben complementar y apoyar a las instituciones educativas en su labor, no de manera formal sino por medio de múltiples opciones de visión, lectura y aproximación a su contenido patrimonial.

Estas condiciones han impulsado al Museo a ofrecer otras alternativas a la visita tradicional, en las cuales se invita al público a participar de las colecciones que allí reposan de manera más activa, desde su historia personal, su trayectoria de vida, su sensibilidad y percepción espontáneas frente al hecho arqueológico, etnográfico, histórico y artístico. Todas estas intenciones se concretan en múltiples acciones pedagógicas, dirigidas a todos los tipos de visitantes que conforman el amplio y variado público del Museo Nacional de Colombia:

– En primer término, ocupa un lugar de especial atención el público infantil y juvenil. Como apoyo a las exposiciones permanentes, el equipo pedagógico del Museo diseña materiales especiales para niños, niñas y jóvenes entre los 7 y los 12 años.

Los talleres creativos también son un espacio con múltiples oportunidades para que niños y jóvenes puedan discutir y reflexionar sobre un tema específico de las colecciones del Museo, reelaborar posteriormente sus ideas y transformarlas por medio de la plástica, el sonido, el movimiento corporal o el juego teatral. Temas como la diversidad cultural, la estética en la época prehispánica, los objetos rituales, los personajes históricos, el proceso creativo de un artista, y muchos otros que a veces coinciden con fiestas patrias y celebraciones especiales, son el punto de partida de aquellos momentos en que un grupo de niños o jóvenes comparte, reflexiona y recrea su relación con el país y su patrimonio cultural a través de las colecciones del Museo.

– En segunda instancia se desarrollan las acciones pedagógicas dirigidas al público general. La oportunidad del contacto directo con el objeto original es la esencia del Museo y es por ello que continuamente se programan para el público general visitas guiadas especiales. Existe, además, la opción de solicitar en la recepción del Museo el servicio gratuito de visita guiada general. También, para grupos de instituciones o empresas, es posible reservar con anticipación una fecha y hora determinada, para asegurar la disponibilidad del servicio de visita guiada. Otras actividades para el público general son los ciclos de conferencias y seminarios. Procesos de investigación arqueológica y etnográfica y sus resultados, acontecimientos históricos que trazan el desarrollo político, cultural y científico de nuestro país, actividades artísticas que son reflejo del cambio y la transformación de las ideas a través del tiempo, constituyen los aspectos tratados por científicos, historiadores y artistas, así como expertos en otras disciplinas, quienes periódicamente presentan sus ideas al público general del Museo. Ello se complementa con la proyección de videos y películas con igual variedad de contenidos.

– La tercera estrategia educativa del Museo se concentra en ofrecer a los profesores y maestros la oportunidad de utilizar el Museo como un efectivo recurso pedagógico. El maestro participa incluso de una manera más activa, al servir de intermediario entre el objeto y los estudiantes. El rol del maestro, así como el de los Guías-Docentes del Museo, es entonces desarrollar puntos de vista en los alumnos, diseñar procedimientos y técnicas que les permitan ampliar su visión perceptiva de los objetos que el Museo contiene como testimonios de la historia de la cultura nacional. Esta manera de aproximar a los alumnos al Museo, en coordinación con el equipo especializado para esta labor, cualifica entonces el acto de comunicación y lo hace realmente integral y orgánico.

– El cuarto nivel de servicios pedagógicos se orienta a las cátedras universitarias. Las ricas y múltiples colecciones del Museo en las áreas de Arqueología, Etnografía, Historia y Arte, permiten desarrollar en torno a ellas contenidos y temáticas afines desde muy diversos campos del conocimiento. Estas potencialidades son aprovechadas continuamente por muchos profesores universitarios que recorren el Museo y realizan con sus estudiantes una lectura particular de las colecciones desde su disciplina o especialización. Sociología, Arquitectura, Diseño y Estética, Restauración y Conservación, Economía, Filosofía, Ciencias Políticas, son áreas de la formación universitaria que están presentes de manera implícita en el contexto, contenido y continente del Museo Nacional.

– Finalmente, se ha decidido convocar a los estudiantes universitarios a vincularse como voluntarios en torno a la experiencia del Museo. Hoy en día, bajo convenios con diversas universidades e institutos de educación superior de la capital, se han abierto espacios para que los alumnos de los últimos semestres participen en las acciones del Museo de manera directa y aporten sus ideas y potencial creativo.

Colección de obras de Fernando Botero

Es uno de los principales atractivos del Museo para todos los públicos

En conclusión, las funciones y servicios del Museo Nacional de Colombia cumplen el mandato constitucional, que incluye dentro de sus objetivos y metas educativas, "afirmar la unidad y la identidad nacional dentro de la diversidad cultural; fomentar la difusión, investigación y desarrollo de los valores culturales de la nación; y hacer que la educación sirva a la protección del patrimonio cultural como eje de la identidad nacional".

Un grupo infantil recorre la exposición especial *Obras en prisión*

Escaleras de acceso principal

La visita al Museo se inicia con los bustos de sus fundadores: Simón Bolívar y Francisco de Paula Santander

La Rotonda

Un lugar para la contemplación o la reflexión

Sala Sociedades Tempranas, primer piso

Los estudiantes universitarios encuentran en las colecciones del Museo una inagotable fuente de investigación

La Rotonda, centro, tercer piso

Exhibe una síntesis del arte colombiano, a través de obras de gran formato

El café-restaurante

A través de la Asociación de Amigos del Museo Nacional se creó este espacio, indispensable para el público

La tienda del Museo

Afiches, libros, postales, objetos

El museo en cifras

174 años de existencia

195.509 visitantes entre septiembre de 1996 y septiembre de 1997:

85.661 niños

58.274 estudiantes

51.574 adultos

63.249 días conservando el patrimonio cultural colombiano

363 exposiciones temporales registradas desde su fundación hasta la fecha

36 Tesoros que enorgullecen a millones de colombianos

Más de **20.000** objetos

139 personas al servicio del público, entre ellas:

- los voluntarios y pasantes universitarios
- los pedagogos y los guías-docentes
- los curadores, investigadores, catalogadores, conservadores y asistentes
- la directora, los asesores, comunicadores y museógrafos
- el personal de administración, seguridad y aseo
- los proveedores (impresores, marqueteros, pintores, etc.)

El monumento:

13 mil metros cuadrados de construcción

123 años de existencia

72 años como prisión

49 años como museo

8 años de restauración

20 años proyectados para su ampliación

17 salas de exhibición

341 ventanas

136 puertas

1.596 metros cuadrados de jardines interiores

4.069 metros cuadrados de espacio público

Asociación de Amigos del Museo Nacional de Colombia

FUNDADA EL 4 DE MAYO DE 1990, LA ASOCIACIÓN DE AMIGOS DEL Museo Nacional de Colombia es una entidad privada, sin ánimo de lucro, con personería jurídica y patrimonio propio, creada, organizada y regida por las leyes colombianas y por sus propios estatutos.

El objeto principal de la Asociación es procurar por todos los medios a su alcance la obtención de los propósitos fundamentales, propios o convenientes al Museo Nacional de Colombia, en favor de la investigación, mantenimiento, conservación, custodia y acrecentamiento del patrimonio histórico y cultural de la nación colombiana y la divulgación sobre estos bienes y valores.

Con el próposito de desarrollar su objeto, la Asociación efectúa, entre otras, las siguientes tareas:

– Apoya los planes y programas que desarrolla el Museo Nacional en función de sus metas.

– Auspicia y fomenta eventos culturales y educativos relacionados con el Museo.

– Promueve cursos, seminarios, conciertos y toda clase de eventos culturales.

– Edita guías, carpetas, reproducciones, impresos y, en general, publicaciones relacionadas con la colección del Museo Nacional, las investigaciones y demás eventos realizados en él, al tiempo que ofrece en venta dichos bienes y comercializa servicios del Museo, tales como la cafetería y la tienda.

Uno de los propósitos inmediatos de la Asociación es establecer el programa de afiliaciones, orientado a vincular a todos los sectores de la comunidad –en calidad de socios o voluntarios–, lo cual permitirá que tanto el Museo como la institución y sus asociados se beneficien mutuamente.